Letters of Note

猫

[英]肖恩·亚瑟　编著

鲁冬旭　译

【版权所有,请勿翻印、转载】

湖南省版权局著作权合同登记图字:18-2022-040

Copyright © Shaun Usher, 2020. First published in Great Britain in 2020 by Canongate Books Ltd. Copyright licensed by Canongate Books Ltd., arranged with Andrew Nurnberg Associates International Limited. Art direction and design: Rafaela Romaya, 'Playtime' illustration © Deanna Halsall. Simplified Chinese edition copyright 2022 by Hunan Fine Arts Publishing House Co., Ltd in association with Penguin Random House North Asia. All rights reserved.

本书仅限中国大陆地区发行销售

"企鹅"及其相关标识是企鹅兰登已经注册或尚未注册的商标。
未经允许,不得擅用。
凡无企鹅防伪标识者均属未经授权之非法版本。

图书在版编目(CIP)数据

见字如面. 猫 /(英)肖恩·亚瑟 (Shaun Usher) 编著;
鲁冬旭译. —长沙:湖南美术出版社,2022.9
书名原文: LETTERS OF NOTE: CATS
ISBN 978-7-5356-9790-5

Ⅰ.①见… Ⅱ.①肖… ②鲁… Ⅲ.①书信集—世界
Ⅳ.①I16

中国版本图书馆CIP数据核字(2022)第085415号

见字如面. 猫

JIAN ZI RU MIAN. MAO

出 版 人:黄　啸
编　　著:[英]肖恩·亚瑟
译　　者:鲁冬旭
策　　划:王柳润　瞿　力
责任编辑:潘旖妍　姚　帆
责任校对:何雨虹
出版发行:湖南美术出版社
　　　　　(长沙市东二环一段622号)
经　　销:湖南省新华书店
印　　刷:湖南省众鑫印务有限公司
　　　　　(湖南省长沙市长沙县榔梨街道梨江大道20号)
开　　本:787mm×1000mm　1/32
印　　张:4.5
版　　次:2022年9月第1版
印　　次:2022年9月第1次印刷
书　　号:ISBN 978-7-5356-9790-5
定　　价:28.00元

邮购联系:0731-84787105　邮编:410016
网址:http://www.arts-press.com
电子邮箱:market@arts-press.com
如有倒装、破损、少页等印装质量问题,请与印刷厂联系调换。
联系电话:0731-86807567

2009年，一个庆祝书信这种老式通信方式的网站"lettersofnote.com"上线，"见字如面"计划随之诞生。从那时到现在，该网站已被访问超过一亿次。《见字如面》的第一卷于2013年10月出版。同年晚些时候，我们又举办了第一次"书信现场"活动，让世界顶级表演者为听众们现场朗诵精彩书信。

从此，"见字如面"和"书信现场"这对"孪生姐妹"并肩成长，前者火遍全球，后者在世界各地的许多标志性场馆举办：从伦敦的皇家阿尔伯特音乐厅，到洛杉矶的王牌酒店。

如欲获取更多详情，可访问"lettersofnote.com"和"letterslive.com"。现在，"见字如面"的最新系列还有了音频版可供收听。我们的朗读者阵容人才济济，选自广受好评的"书信现场"演出的固定表演班底。

目　录

	前　言	3
信件 01	**大自然会不会是一只巨猫？**	8
	尼古拉·特斯拉致波拉·福蒂奇	
信件 02	**我珍贵的小伙伴走了**	14
	蕾切尔·卡森致多萝西·弗里曼	
信件 03	**我那怦怦乱跳的心**	20
	波斯雪（伊拉斯谟斯·达尔文）	
	与波·菲莉娜小姐（安娜·西沃德）的通信	
信件 04	**来自猫的人类式的爱抚**	31
	西尔维娅·汤森·沃纳	
	与大卫·加内特的通信	
信件 05	**你们杀死了我的猫**	37
	盖伊·达文波特致列克星敦的司机	
信件 06	**长尾巴在夜里跳舞**	40
	拉夫卡迪奥·赫恩	
	致巴兹尔·霍尔·张伯伦	

I

信件 07	**可怜的莫琪**	45
	安妮·弗兰克致姬蒂	
信件 08	**我们就像生活在围攻战中似的**	48
	查尔斯·狄更斯	
	致约翰·福斯特	
信件 09	**致所有波利卡狗和杰利卡猫**	52
	T.S.艾略特致托马斯·法贝尔	
信件 10	**我看见你了,我美丽的男孩**	56
	伊丽莎白·泰勒致她走失的猫	
信件 11	**猫不是一个简单的公式**	58
	亨利·哈兰致《黄面志》	
信件 12	**猫与鸟**	66
	阿德莱·史蒂文森二世	
	致第66届议会的各位参议员	
信件 13	**5000只大猫小猫堆成一堆**	70
	弗雷德里克·劳·奥姆斯特德	
	致儿子	
信件 14	**僵尸**	73
	罗伯特·骚塞致格罗夫纳·贝德福德	

信件 15	**宝贝,打起精神来**	79
	加布里埃尔 – 安格·列维斯克	
	(凯鲁亚克的母亲)致杰克·凯鲁亚克	
信件 16	**关于在金鱼缸中溺毙的爱猫之死的颂诗**	83
	托马斯·格雷致霍勒斯·沃波尔	
信件 17	**福斯死了**	89
	爱德华·李尔致阿伯戴尔勋爵	
信件 18	**猫迷**	93
	安·兰德致《猫迷》杂志	
信件 19	**真遗憾这么好的猫听不见声音**	95
	威廉·达尔文·福克斯	
	致查尔斯·达尔文	
信件 20	**这封信真的是我写的吗?**	99
	雷蒙德·钱德勒致查尔斯·莫顿	
信件 21	**猫儿们,猫儿们,我的猫儿们**	104
	埃斯特尔·克伦巴赫乔娃	
	致她的猫儿们	
信件 22	**永远不变的家**	115
	凯瑟琳·曼斯菲尔德致艾达·贝克	

信件 23	**他习惯像绅士一样用餐**	119
	弗洛伦斯·南丁格尔致弗罗斯特夫人	
信件 24	**恐怖故事一则**	124
	简·威尔士·卡莱尔致凯特·斯坦利	
信件 25	**他不是一只轻易原谅别人的猫**	130
	约翰·奇弗致约瑟芬·赫布斯特	

一封信是一枚定时炸弹,是一条瓶中信,是一句咒语,是一声呼救,是一则故事,是一段关切的表达,是一次爱的递送,是一种通过文字互相联结的方式。今天,这种简单且非常大众的艺术形式仍是一种有力的沟通手段。不管我们正经历什么样的技术革命浪潮,书信都不会消失,它会像文学一样永远存在。

前 言

自人类开始为了控制鼠害驯养猫和为了满足狩猎的需要驯养狗以来,几千年间一个问题始终被反复讨论,而且这个问题总能把听众瞬间分成两派:

猫还是狗?

我可以骄傲地说,自童年以来,猫和狗我都养过不止一只。不得不承认,其中一些比另一些更讨人喜欢。对我而言,上述问题显然只有一个正确答案,而且事实上那是唯一符合逻辑的答案:都好。因为要在猫与狗之间做出选择,就像要在食物和饮料之间做出选择一样:这个问题不仅毫无意义,而且答案很可能随着一天之中的不同时段及当时的心境而变。不过,现在让我们把注意力放在我们的猫科朋友身上。目前,在全球各地,数亿只猫咪是人类家庭的成员。它们在两条腿的室友的脚踝间打转；它们大声打着呼噜、等着吃早饭；它们对着柔软的家具一通揉捏，看起来那样欣喜若狂，使人不禁想体验一下它们的生活，哪怕只有一分钟也好；面对毫无界限感的笨拙孩童，它们优雅地在空中越过不可思议的距离，轻松逃开；与过度兴奋、智力不及它们的狗共享厨房时，它们漫不经心地撞一下对方的鼻子；它们总能设法打开橱柜门，翻出里面的好吃的；它们在家中优雅地四处闲逛，姿态如此傲慢，使人不禁想问：究竟是谁驯养了谁啊？事实上，等一下，会不会不是我们在养猫，而是猫一直在操纵、利用我们？

在这本书中，你会发现我们欠某只猫一个巨大的人情，因为它曾启发人类历史上最伟大的科学家之一，使我们的生活得到不可估量的改善。你会了解到一种完全由猫驱动的乐器。你会了解到一种超自然的生物——猫又。你会读到一只猫如何给一位正在躲避人类最大暴行的小姑娘带去她急需的笑容。你将了解到伊利诺伊州州长如何气宇轩昂地拯救全州的猫咪，使它们免遭巨大的尴尬。你会读到人类历史上最伟大的诗人之一为悼念一只掉进金鱼缸里被淹死的猫咪而写的诗。你会听到一只在纸巾盒里拉屎的猫的故事,此猫的主人是一位著名的小说家,而故事发生时,他恰好不幸身患感冒。

通过一个个被我们称为"书信"的时间胶囊,你将了解以上这些以及许多其他故事。在人类的各种交流方式中,书信是最珍贵、最宜人、最濒临消失的一种。此刻,许多数字的、缺乏魅力的、不能长存的通信方式正把书信推向天堂的分拣处。那些通信方式侵蚀我们醒着时产生的每一个思绪,消解人与人之间的关系,使之远不如过去那样富有意义。事实上,我希望通过这本书达成两个目标:一是进一步加强你对猫这种伟大动物的爱意(如果我们对猫的爱还可能更强烈的话);二是提醒你,如果没有书信,书中的这些故事必然都已早早死去,再也不会被人复述,我们应该多多写信——为了我们自己、为了未来的人类、为了所有猫咪(它们值得被肯定,并且,让我们面对事实吧,它们时常命令我们肯定它们)。

所以,请多写信吧。今天就抽出十分钟来。找一张纸,从你的猫手中抢下你家最后一支幸存的笔,给某个人写一封信吧,哪怕只是为了让他们知道,此刻你正在想着他们。尽管希望渺茫,说不定你还能收到回信呢。

肖恩·亚瑟

2020 年

又及:如果你提笔写信,请记得抄送一份给我。

The Letters

—— 信件 01

大自然会不会是一只巨猫？
尼古拉·特斯拉致波拉·福蒂奇

1939 年 7 月 23 日

  发明家尼古拉·特斯拉 1856 年生于塞尔维亚。我们几乎很难说清他对现代世界产生了多么深远的影响。在八十六年的生命中，他在电气工程领域取得无数突破，特别是在他发明的交流感应电动机方面取得了突出的成就。这位"电力之父"离世时名下的专利约 300 项。1939 年，83 岁的特斯拉健康状况日益恶化，身体已十分衰弱。此时他在华盛顿结识了南斯拉夫[1]驻美国大使的女儿波拉·福蒂奇，两人因爱猫之心而结下友谊。不久以后，特斯拉从纽约市的家中给新朋友波拉写了这封信，透露了他终生迷恋电力的原因。

---

1. 1918 年至 2003 年存在于南欧巴尔干半岛上的国家，其领土包括特斯拉的出生地克罗地亚。——编者注

—— 信件正文

纽约

1939 年 7 月 23 日

我亲爱的波拉·福蒂奇小姐：

随信附上 1939 年的南斯拉夫年历。你可以在年历上看到我住过的房子和我生活过的社区。由于某种奇怪的巧合，我恰好出生在那里，并在那里经历了许多悲喜交加的冒险。你可以在 6 月那一页的照片上看到那栋老式房屋，它建在一座树木繁密的山丘脚下，山的名字是波格丹尼克山。屋子旁边是一座教堂，屋后稍向山上走一段有一片墓地。离我们最近的邻居也在约三千米之外。冬天，雪有约两米深，那时我们便彻底与世隔绝了。

我的母亲非常勤劳，不知疲倦。她经常从凌晨四点开始干活，一直忙到晚上十一点。从凌晨四点到早饭时间——清晨六点，其他人还在熟睡，但我从来都是睁着眼睛的。我会观察母亲如何飞快地——有时一路小跑着——完成许多她布置给自己的任务，那景象让我非常快乐。她指挥仆人照顾我们的所有家畜。她给牛挤奶。她独自做完各种家务,摆好餐桌,给全家人做早饭。早餐做好时家里的其他人才会起床。吃完早饭,每个人都以母亲为榜样忙碌起来。大家都勤奋地工作,并且热爱自己的工作,因此能从中获得满足感。

但在全家人中,我是最快乐的一个。我的快乐源泉是我们伟大的玛卡克——全世界最好的猫。我多希望我能充分向你说明我们之间的感情。我们为彼此而活。不管我走到哪里,玛卡克都跟着我,因为我爱他,他也爱我,还因为他很想保护我。觉得需要挺身保护我时,他会弓起背,变成平时的两倍高,尾巴竖起来,像金属条一样硬,胡须像钢丝一样翘着。他会发出爆炸般的喷气声,以表示他的愤怒——噗!噗!那情景可吓人啦。无论是谁惹了他——不管是人还是动物——此时都得仓皇而逃。

每天傍晚,我们会从家里出发,沿着教堂的围墙往前跑。他总是跟在我身后飞奔,还用爪子抓我的裤腿。他会很卖力地假装要咬我,但他那针一般尖锐的门齿一刺穿我的衣服,压力便会立刻消失,他的牙齿温柔地压在我的皮肤上,就像蝴蝶落在花瓣上那么轻柔。

他最喜欢和我一起在草地上打滚。我们一起打滚时，他又咬又抓，发出呼噜声，沉浸在狂喜之中。那无比快乐的样子让我完全着了迷，所以我也又咬又抓，还发出呼噜声。我们根本停不下来，只是一个劲地滚啊滚啊，快乐到忘乎所以。除了下雨的时候，我们每天都沉浸在这种叫人着魔的运动里。

说到水，玛卡克在这方面非常小心谨慎。为了不把爪子打湿，他可以一下子蹦出两米远。下雨天，我们就在屋子里找一个舒适的地方玩耍。玛卡克极其爱干净，他身上没有一只跳蚤或其他虫子，他一点也不掉毛，完全没有令人不快的地方。夜里想去屋子外面时，他会非常讨喜地求我们放他出去，他表达这种愿望的方式那么轻柔可爱，简直令人感动。想从外面再进屋的时候，他会轻轻地抓门。

现在我必须告诉你一段奇异而难忘的经历。这段经历终身陪伴着我。我家在大概海拔 550 米的地方，一般来说冬天气候干燥。但也有时候，从亚得里亚海上吹来的暖风会持续很长时间，这种风会融化积雪、淹没土地，导致巨大的生命和财产损失。在这种时候，我们会目睹可怕的情景：强大的河流愤怒地翻滚，沿路摧枯拉朽地撕裂所有能被卷走的东西，裹挟着各种残骸前进。我常在脑海里重现年少时的事。每当我想到这样的情景,耳中便灌满了水声,眼前便浮现出湍急的水流和在其中疯狂舞蹈的残骸。那情景就和我当初亲眼看到时一样生动真切。但说到冬天,我总想起干冷的天气和无瑕的白雪,对冬天的回忆总是令我愉快。

那个冷天恰好比以往任何时候更加干爽。在雪地上行走的人们身后留下一串串发光的脚印。雪球被扔到物体上时,亮光耀眼地一闪,仿佛糖块被刀切开。我在昏黄的暮光中抚摩玛卡克的背时,见到了一个让我目瞪口呆的奇迹——他的背像一块光做的被单,我的手摸过那片光时,一阵火花飞溅,声音响彻整座屋子。

我父亲是个非常博学的人。不管什么问题,他都能答上来。但这种现象即使他也没见过。"好吧,"最后他终于说,"这不是别的,只是电而已。跟你在暴风雨中的两棵树之间看到的是同一种东西。"

我母亲似乎被这个有趣的现象迷住了。"别玩这只猫了,"她说,"他也许会把房子点着的。"但我却在思考一些抽象的问题。大自然会不会是一只巨猫呢?如果是,那么是谁在抚摩它的背?只能是上帝了,我得出了这样的结论。你瞧,我当时才三岁,却已经在思考哲学问题了。

第一次见到电的奇迹已让我震惊,但接下来还要发生更神奇的事情。天色渐暗,很快家里点上了蜡烛。玛卡克在屋子里走了几步。他晃晃爪子,仿佛走在湿地上似的。我仔细地看着他。那是真实的景象吗?还是只是我的幻觉?我睁大眼睛,清楚地见到他的身体被一个光环包围,就像圣人头顶的光环!

那晚的奇妙经历极大地刺激了我幼年的想象,再怎么强调这种影响都不算夸大。日复一日,我不断地问自己"电是什么?",却找不到答案。从那时到现在,八十年过去了,我仍在问同一个问题,一个我依然无法回答的问题。也许有些冒牌科学家会对你说,他们能回答这个问题,这种人在这个世界上可太多了,但你千万不要相信他们。如果他们中真有人知道电是什么,那我肯定也知道,我找到答案的机会比他们中任何人都多,因为我在实验室工作的时间比他们长,实践经验比他们丰富,而且我的人生跨过了整整三代人的科学研究。

尼古拉·特斯拉

—— 信件 02

我珍贵的小伙伴走了

蕾切尔·卡森致多萝西·弗里曼

1963 年 12 月

    1963 年圣诞期间,海洋生物学家、作家蕾切尔·卡森正在与乳腺癌做斗争。她很快就会彻底输掉这场战斗。此时,她致信挚友多萝西·弗里曼,告诉多萝西一条悲伤的消息:她珍贵的小猫——杰菲,也走到了生命的尽头。一年前,《寂静的春天》出版,卡森因此一举成名。这部具有开创性的作品通过揭示化肥和杀虫剂的危害,促成了现代环保运动。卡森花了四年时间写这本书。在那漫长且压力巨大的四年中,杰菲始终陪伴她,与她一同走过每一步。在此前的信中,卡森告诉弗里曼,在《寂静的春天》完成后不久:

> 我把杰菲抱进书房,演奏了贝多芬的小提琴协奏曲。那是我最喜欢的乐曲之一,这你是知道的。突然之间,四年来紧紧绷着的东西断了,我躺到地上,把杰菲抱在怀里,

任眼泪流淌。他用温暖而粗糙的小舌头告诉我,他都懂得。

现在,到了不得不说再见的时候。

―― 信件正文

12月

我最亲爱的：

圣诞节马上就要到了，也许我不该在这种时候写这么伤感的信给你。但杰菲的事让我的心如此沉重，我必须与你谈谈。他的健康状况恶化得很快，到圣诞节时，我想他一定已经离开我们了。每一天，他都比前一天衰弱许多，现在除了我用勺子喂他的东西，他已经什么都吃不进了。本来，我今天要带他去打针，但雪太大，出不了门（我自己也没去接受治疗）。我也不愿意在这么寒冷的大风天里带他出去。不过，如果明天能开车的话，估计我还是得带他去打针，尽管我已几乎不抱希望，现在做什么都没用了。这很让我想起蒂皮最后的日子。他走的时候比现在的杰菲大六岁，但我猜想日历上的年龄并不重要。

你知道，在我的内心深处，我觉得我应该心甘情愿，甚至心怀感激地让他离开，因为在还有我照顾他的时候先走一步，对他来说会轻松许多。你知道的，他的命运一直是我挂心的事情之一。但我还是很难想象,没有他的日子该怎么过。这十年来,他小小的生命始终与我的生命紧紧缠绕在一起。如今,对你、对我们都如此重要的三只亲爱的小猫咪在一年内都要死了,这是多么奇怪的事情!

* * *

现在是周四早上,我珍贵的小伙伴已经走了。我想,这封信寄到前我应该会和你通话,所以读信时你应该已经知道了。昨天晚上,我陪他在客厅里坐到很晚。然后我把他抱进卧室,关好门,方便夜里查看他的状况。大概三点半的时候,他呼吸困难,还发出微弱的呻吟。我被吵醒,发现他躺在门边。我坐在他身边的地上陪了他一会儿,一边抚摩他一边和他说话。最后他终于爬起来,走到床下去了。今天早上发现他就死在那里,我想就在罗杰出门上学之前一小会儿。吃完早餐,我和罗杰都听见他在叫唤。我们走进卧室,罗杰说他在床底下。当时我不大看得清他。罗杰走后,我拿来手电筒趴到地下,然后我知道他已经走了。几分钟后,艾达来了。她移开床,好让我把他从床下抱出来,抱在我怀里。然后我们把他放进那个破破烂烂的椭圆篮子里,让他在里面蜷好,他以前多爱那个篮子啊。我会让埃利奥特把他埋在书房旁边的松树下,我想,在那里就永远不会有人打扰他了。

太多悲伤和沉痛的念头,也许我根本不该试图表达这些心情。那年12月飞来克利夫兰时,我第一次知道自己的病况。从那时到现在,整整三年了,我一直在为我的小家庭担忧。我知道我走后没人照顾杰菲,不管最后谁收养罗杰,恐怕他都不大可能愿意同时收养一只猫,所以连莫皮也是个问题。去年9月莫皮走的时候,我感到我的小圈子已经开始瓦解,这是不可避免的。现在,我又活着看到了这瓦解的下一步。但是,啊,我应该为杰菲高兴才对,而且我知道要不了多久,我就能为他高兴了,因为假使他活得比我久,对他而言会多么可怕,他一定会吓坏的。现在这个问题已经不存在了。

亲爱的,我知道我不该对你说这些。但这些思绪我似乎不得不表达出来。

现在,这意味着我和罗杰可以去你那里,意味着我们可以离开并再次回到这座奇怪的空房子里。我会再和你讨论何时出发最好。如今我们在不在这里已经没什么区别,所以我在想,就天气而言,什么时候最方便你去火车站接站,是早上还是晚上。当然我们不想选明知天气不好的时候动身。

今天下午我得去接受治疗。今天很冷，风很大，但天空晴朗明亮。我猜路上的大部分雪应该已经清掉了。如果今晚你在家，我会和你通话，亲爱的。现在，先随信附上我全部的爱。

蕾切尔

—— 信件 03

我那怦怦乱跳的心

波斯雪(伊拉斯谟斯·达尔文)与波·菲莉娜小姐
(安娜·西沃德)的通信

1780 年 9 月

1804 年,由诗人安娜·西沃德撰写的英国医生兼哲学家伊拉斯谟斯·达尔文的传记《达尔文博士生平回忆录》首次出版。伊拉斯谟斯·达尔文 1802 年去世,是查尔斯·达尔文的祖父。该书的问世不仅令不少读者震惊不已,还让达尔文的家人大为光火,因为书中出乎意料地收录了两封奇怪的信:1780 年,达尔文似乎给相识多年的西沃德写了一封既俏皮又颇具挑逗意味的情书,信以他的猫(波斯雪)的名义写给她的猫(波·菲莉娜小姐);她的猫自然也写了回信。回忆录里同时收录了达尔文的去信和西沃德的回信。即使没有其他意义,这两封信至少向我们展示了达尔文迷人而不为人知的另一面,且在当时激起了关于传记作者与记录对象的关系的不少争论。信中的两只猫却逃过了公众的议论,保持了清白无瑕的名誉。

—— **信件正文**

利奇菲尔德牧师府

1780年9月7日

亲爱的小猫猫波小姐：

　　几天前，我在主教步道上晒太阳的时候看见了你。你正在你庄严的主教宅邸中，一边用天鹅绒般的爪子清洗你美丽的圆脸和花纹雅致的耳朵，一边以优雅的弧度摆动你那弯曲的尾巴。丘比特是一只奸诈的刺猬，它藏身于你花纹斑斓的美貌之后，抽出一支瞄得太准的刺，射向了我。啊，残忍的小恶魔啊，它刺穿了我那怦怦乱跳的心。

　　自从那个致命的时刻之后，我日夜在我的阳台上守望，盼望星光下夜晚的静谧能诱惑你走出主教宅邸，来屋顶上透透气。在你的窗下，我唱过多少首小夜曲；有时你不肯出来，我的歌声便在牧师府每一条弯曲的小道和肮脏的小巷中回荡。所有人都听见了我的歌声，只除了我那残忍的美人：她身上裹着皮毛，毫不在意地坐在那里，发出心满意足的呼噜声；或者睡在那里，做着无忧无虑的美梦。

虽然我不会夸耀我那精巧多变的歌声,但在某些夜晚,它也曾征服过你的耳朵,也曾让凝听的星辰停步留驻;虽然你常睡在缪斯女神的宠儿的膝头,或是被执科学之笔的手指爱抚;每一天,她允许你把雪白的胡须浸入美味的奶油。虽然如此,但我的出生、教育与容貌也并非全无优势,我的血统可以上溯到波斯的君王,他们的貂皮袍光艳洁白,我雪白的皮毛仍保留着那种华彩。

今天早上,我正端坐在医生的茶几上,看到自己的姿容映在茶渣盂上:我长长的、雪白的胡须,象牙色的牙齿,黄玉似的眼睛。我对自己的穿戴感到一阵满意。茶渣盂绝不可能夸大我的美,因为它的边缘还映出天青色的花朵,而花的影子并不及花朵本身美丽。

亲爱的小猫猫波小姐,你不知道被你忽略的爱意有多高的价值。我家有喝不完的鲜牛奶,源源不断地流淌;我家的二十间阁楼里,全都关着老鼠。这些东西,随时供你吃喝玩乐。

请允许我向你献上一只硕大的挪威鼠。此刻它的血玷污了我的爪子,今天下午我会把它的头放在你神圣的脚边。请原谅我冒昧地写了这样一首歌,来表达一些我希望能被你接受的感情。若你肯垂顾我,将这首歌唱出,我会带一支猫声猫气的乐队来为你伴唱。

> 独唱:(活泼的)
> 我鄙视在挪威鼠面前发抖的猫,
> 不论他是肥是瘦;
> 粗壮而勇敢,大胆而自由,
> 成为那只为我而生的猫吧!
> 他强健有力的爪,
> 能扼住女主人的哈巴狗的脖颈;
> 他发出愤怒的嘶吼攻向母鸡,
> 然后从鸡舍中掳走小鸡。
> 若不忠的情人背叛我温柔的爱,
> 我的鄙夷将是复仇的利爪,如离弦之箭
> 飞射而出,
> 撕开他的皮毛,刺穿他的心脏。
>
> 合唱:
> 嗷,嗷,哇,呱,哇,喵呜。

最可爱的小姐,请以呼噜声答应我的请求吧。请相信我是对你心怀最深敬意并真心爱慕你的人。

雪

* * *

西沃德小姐的回信：

利奇菲尔德主教宅邸
1780 年 9 月 8 日

我太了解雪先生的魅力所在了。可是，我虽倾慕他一尘不染的雪白皮毛和威风凛凛的虎虎英姿，却也暗自叹息，吸吮仁爱与哲学之乳的他，身上仍保有极端的凶暴。我将这归咎于他的猫性，应该再公正不过了。从祖先身上遗传下来的暴力，若对我们的保护者的敌人使用，或许值得称赞，但若用这暴力惹恼朋友，就该受到许多指责了。

受过高雅教育是我的幸福。然而，亲爱的雪先生，在这方面，我的优势无法与您相提并论。但是，在您毫无节制地放纵您食肉的欲望时，我却至今将我的欲望控制得很好。云雀尽情唱响晨曲，金丝雀热烈地高声啼啭,知更鸟对着落日诉尽离别之音,我从未打扰过它们。更有甚者,丰满诱人的鸽子敢稳稳地歇在我柔软的背上,从我身边走过时,它会优雅地弯一弯光洁的脖颈,对我致意。

还是让我赶紧告诉您,我对您的好感上月如何不幸受到折损。某次,在一个最美的午夜,我走到户外,一来是受宁静多情的夜色诱惑,二来也因我暗暗盼着遇见我爱慕的波斯猫。主教宅邸的屋顶闪着幽暗的微光,我在周围悄无声息地徘徊。我常躺在女主人脚旁,边打呼噜边听您的主人妙语连珠地谈论风景之美和诗意修辞,因此对这两样东西有了兴趣。

我欣赏着美丽的夜景,对凝神静听的月亮轻诉关于您的叹息。她把雄伟教堂的长影投在镀银的草坪上。斯托谷的草地闪着珍珠般的光泽,被山谷环抱的湖泊反射着月光,看起来仿佛一大片钻石。主教步道上的树木以千种美丽的姿态交织摇曳,想是德奥尼斯[1]克制了破坏的欲望,没有动手把它们折磨成面目可憎的规整形状。它们自由的枝丫在午夜的微风中起

---

1. 德奥尼斯:亚历山大·蒲柏(Alexander Pope)的长诗《愚人志》(*The Dunciad*)中的女神。德奥尼斯的目标是给世界带来腐朽和愚蠢。——译者注(以下若无特别注明,均为译者注)

舞，叶子被月光镶上白边。我走上草坪，想透过枝丫交织出的优雅弧度更好地欣赏山谷的美。这时我的耳朵突然被一阵噪声惊扰，那不是我爱人的声音，而是六只黑猫在挠喉掭嗓地高唱战歌，为的是庆祝波斯猫雪先生的诸多胜利。他们唱道：与雪先生的赫赫战功相比，英国猫的战绩相形见绌，就像豪斯的胜利在强大的克林顿和阿巴斯诺特及更强大的康沃利斯面前不值一提。他们唱道：您的无敌威力盖由您的血统所赐，您是战无不胜的亚历山大的嫡系子孙，而亚历山大之夺命豪勇也是出身使然，他是母亲奥林匹娅斯与朱庇特私通所生。他们唱道：在著名的波斯波利斯围攻战中，罗克珊娜和斯塔提拉争夺亚历山大大帝的垂青，世界征服者便赐她们一只硕大的白色母猫，而那就是好战的雪先生，是您的第一万零九十九代曾祖母。

至此，他们炫耀胜利的喧闹在我听来还尚能入耳，哪怕他们唱道：当您走近时，恐惧让汪在大桶乌黑角落里的牛奶凝成乳冻；附近所有阁楼里的老鼠都尖声惊叫起来；您雪白的铠甲只需在霍华德先生花园的灌木丛间那么一闪，整支挪威鼠大军便闻风丧胆，一边声嘶力竭地大叫"魔鬼要捉走落在最后面的啦！"，一边狂奔进牧师池[1]里。

可是，啊！可是他们又唱道（与其说是"唱"，不如说是"喊"）：云雀正在阳光中啼啭，却突然被您瞪视的怒目吓呆，落入您无情的爪中；知更鸟正在叶子落尽的枯枝上轻柔而孤独地歌唱，您那寒冬般苍白的脸颊上突然泛起欢快的笑意，就这样终结了它们的歌声；成百上千位浅色胸膛的歌者，被您那毫不怜悯的獠牙从结不了果的花枝上扯下来！——啊！你我的结合将是多么荒唐无道的事情，想到这一点，我的心便在我的身体里死了。

雪先生，嫁给您，恐怕我是办不到了。因为，尽管我们社会的法律也许并不反对你我结合，但要求我审慎、顾全体面并对女主人尽责的原则却非常强烈地反对这门亲事。

至于您邀请我去您的音乐会上主唱的事情，如果您非常希望的话，我也许可以答应您的请求。但是，您必须准许我演唱我自己创作的一首歌，这首歌更适合我们目前的情况。曲子是我妹妹索菲作的，她是风琴师布朗先生家的猫。歌是这样的：

---

[1]. 牧师池：利奇菲尔德的一座水库的名字。

独唱：(柔情的)

他，小猫猫波小姐的俘虏，

被她用丝般柔软的锁链锁住的俘虏，

需克制他对猎物的狂热渴求，

也不准把唱着歌的鸟儿从花枝上扯下！

他狂野残暴的怒火是难防的敌人，

也不准让这敌人得逞。

啊，若事实证明达尔文的猫，

与怜悯为敌，与爱为敌！

这猫，

日复一日听着温柔甜蜜的怜悯之歌。

可怕的耻辱，

一定会在我们的后代身上打上更深的烙印，

不管它们走到何处，

都会被烙上这样的污名：

"猫的本性永远不会改变"。

若我答应与你成婚，

你头上还带着血红的罪恶，

你还没如我希望的那样洗心革面，

再见了,西沃德哗哗的茶水!

再见了,伴着呼噜声的温柔赞美。

引用你主人的诗歌时,她是那样心醉神迷!

啊,我怎么能和你生出小猫咪做她毛茸茸的宠儿!

小猫咪虽唱着甜美的歌儿,

但警惕善察的宁芙难道不会察觉,

她们眼里有父亲的残忍凶狠吗?

难道不会把我们驱赶到海角天涯,

让我们在寒冷孤独的谷仓里流浪?

在那里,黑色的猫头鹰发出狰狞的尖叫,

嘲笑我们还祈求获得再也吃不到的奶油。

在那里,我们只能一边咒骂一边吃饿死的老鼠,

抱怨着我们还有九条命需要熬过。

合唱:(舒缓的)

哇,喔咦,突啊,喵,嗯,噢,嗯啦。

仍然被我深深爱慕的雪先生,您宽大善良,定会

原谅我擅自做出这些苦口婆心的规劝,定会担待这些话的不完美之处。啊,雪!我今天一早上都忙着给您写这封信。但两位雌性同胞来访,打断了我。她们称赞您的诙谐与才情,助长我那注定成空的激情。您那封优雅的来信足以证明她们说得不错,但我审慎的感情使我不得不写下这样一封对您不利的回信。

亲爱的雪先生,我是永远对您心怀感激的。

波·菲莉娜

—— 信件 04

来自猫的人类式的爱抚
西尔维娅·汤森·沃纳与大卫·加内特的通信
1973 年 6 月

　　1922 年,西尔维娅·汤森·沃纳在伦敦的一家书店里遇见了大卫·加内特,那家书店是加内特工作的地方。当时她 29 岁,他比她长一岁。两人一见如故,因为他们有许多共同点,尤其在文学方面。他们的友谊十分长久,一直持续到五十六年后沃纳去世,那时两人都已是十分有名的小说家。多年间,两人互通过数百封书信,各种话题都有涉及。那些温柔的信件中始终闪耀着对彼此的爱意。1973 年 6 月,他们就猫的话题通了信。

―― **信件正文**

最亲爱的西尔维娅:

你能解释猫为什么对我们示爱,怎么对我们示爱吗?我读书、写作或者躺在床上的时候,泰伯会过来用爪子"挑逗"式地假装扯我一下。然后他会靠得更近,盯住我的脸,突然把他尖尖的鼻子伸过来,在我下巴底下蹭一两下。接着他后退,打个滚侧身躺下,邀请我用手摸他,把头转到一边,仿佛半睡半醒地做着美梦,样子既被动又享受。然后他会突然发出一阵呼噜声,近乎凶猛地对我发动进攻。如此这般,如此这般。

但是这些行为,我觉得,猫只会对他爱的人类这样吧?和母猫在一起的时候,我想他并不会搬出这套迷人的做派,而是极为讲求实际。这种表达爱的方式,更像是他还是小奶猫的时候他妈妈对他表达爱的方式。自然,在我正要喂他或者刚喂完他的时候,他的示爱最为强烈。但他那毛茸茸的爱意非常美妙,真让人享受。

他总是和一只森林猫打架。那是只野猫,逃离人类过着野外生活,靠在森林里猎食养活自己。那只野猫比泰伯善战,泰伯总是斗败了回来,有时头被野猫用爪子抓出一道口子,有时爪子被咬穿了、跛着脚,有时耳朵流着血。他前一阵子爪子肿得像拳击手套一样,走路一瘸一拐的,最近才恢复过来。我晚上把他关在家里,免得他又出去打架。可是现在他的爪子能下地走路了,他又要出去作战了。

昨天晚上,我们这里下了一场可怕的暴风雪。来自天上的"炮弹"纷纷而下,冰雹像大糖块一样从烟囱里落下来,在地毯上弹得到处都是。今天,树被扯光了叶子,许多大麦田里庄稼都倒了,农民今年的收成有一半完蛋了。我家的每间屋子都被水淹了,除了浴室。

来自非常爱你的,

大卫

* * *

最亲爱的大卫:

泰伯对你示爱的理由很简单,因为他爱你,而且他喜欢示爱。猫是热情而妖娆的动物。交配令他们满足,但并不令他们快乐(母猫不喜欢交配,公猫还会因交配受伤),既没有快感,对方也不感激他们。泰伯对你示爱的时候,你会取悦他,他也知道自己取悦了你,这会让他快乐。你们能拥有彼此,我真替你们高兴。他会用头打滚吗?他会很有占有欲地把一只爪子放在你身上,然后就那么睡着了吗?

我们以前养过一只深灰色的猫(他在诺福克出生,性子也非常诺福克),名叫汤姆。他矜持、霸道又撩人。我想象泰伯也是这样的吧。他到中年时放弃了夜游,晚上睡在我床上,靠着我的脚睡。有一天晚上,我正在床上看书,突然感觉到汤姆在盯着我看。我放下书,什么也没说,只是看着他。他慢慢地站起身,脸上带着极端专注的表情,如塔昆[1]般蹑着脚步向我走来。他摆好姿势,伸出一只前爪,抚摸我的脸颊,就和我平时摸他的嘴的方式一样。来自猫的人类式的爱抚。那一刻我觉得自己非常差劲、非常没有教养,因为我竟不能发出呼噜声来回应这种爱抚。

你说他们毛茸茸的爱来自小奶猫时期母亲对他们示爱的方式,这一点我从未想过。我想你说得对。他

---

1. 塔昆:指罗马皇帝卢基乌斯·塔奎尼乌斯·苏培布斯,又称"骄傲的塔昆"。"如塔昆般蹑着脚步"典出莎士比亚的《麦克白》第二幕第二场。

们喜欢充满占有欲地把爪子搁在人身上,这绝对是母猫对小奶猫做的动作。

你应该鼓励泰伯跟你一起睡。说不定,比起半夜跟森林猫打架,他会更喜欢跟你一起睡。到了冬天他一定会觉得后者更好。我害怕你说的那只森林猫的爪子,更害怕他的牙。

你们那里下的冰雹是蓝色的吗?我们这也下过一场那样的暴风雪,闪电划破天空,使冰雹纷纷落下。那冰雹像大理石一样硬,像海蓝宝石一样蓝。还有一次,旱了很长时间以后,下了一场暴风雨。闪电是绿色的。苍白的田野和锈色的树木立刻染上了春的色彩,那情景真叫人惊讶。

为什么会有蓝色的冰雹和绿色的闪电?没有一个朋友能向我解释。所以我可以带着单纯的快乐欣赏这种现象。

大地欣然承受着
苏格拉底的毒堇[1]

---

1. 这两句话出自查尔斯·索利(Charles Sorley)的无题诗歌(首句为"All the Hills and Vales Along")。苏格拉底饮毒堇的汁液而死,故"苏格拉底的毒堇"象征死亡。

我活得越久,我的心便越认同这两句诗。

爱你的,

西尔维娅

—— 信件 05

你们杀死了我的猫

盖伊·达文波特致列克星敦的司机

日期不详

盖伊·达文波特1927年生于美国南卡罗来纳州,他有很多身份:小说家、插画家(有时是给他自己的小说画插画)、画家、诗人(出版过自己的诗集)、古希腊语翻译家(在这方面得过奖)、评论家、英文教授。最重要的是,他还很爱他的猫。得知他深爱的猫咪朋友在肯塔基州列克星敦市的马路上被汽车撞死后,达文波特给该市的司机们写了一封愤怒的信。他把这封信寄给读者众多的《列克星敦先驱报》,自费刊登了信件全文。

—— **信件正文**

致列克星敦的司机们:

你们所有人,没有例外。总是惊奇得张大了嘴巴,没日没夜地把轮胎在地上擦得吱哇乱响,却没有警察制止你们的青少年们;成天开着奔驰车四处闲逛,只肯偶尔抽空为我树立一两个慈善榜样的上帝的牧师们;这辈子从来看不见"停车"指示牌的蓝头发女人们;太害怕失去选票,所以从来不肯管管象征无政府主义且展现人类痴愚的交通问题的政客们;超速的人;闯红灯的人;酒驾的人;毒驾的人;还有所有其他愚蠢的、傲慢的、懒惰的司机们——你们一个不漏地都给我听好:

今年在肯塔基州,你们已经杀死大约 900 名同类,并使另外 2000 人终身残疾。今天下午,你们杀死了我的猫——我确信你们并非故意,因为你们忙着杀自己、杀孩子、杀比猫更大的猎物,根本不可能把你们低下的智力集中起来完成任何蓄意的行为。你们杀了我的猫,是因为你们懒散迟缓,满身都是被上帝抛弃的懒惰和傲慢。同样因为这几种恶习,你们把城市的街道当作赛车道和阅兵场,用来炫耀你们昂贵的、有毒的、吵闹的、霸道的、飞速的、致命的车。在这个世界上,除了自己的车,你们再没任何值得称道的东西了。我登这则广告是为了公开表达我对你们这些人的彻底鄙视。我也鄙视那些政客,他们假装在治理我们的城市,却让你们继续在方向盘后面享受这种自私而堕落的快感。

真诚的,

盖伊·达文波特

—— 信件 06
长尾巴在夜里跳舞
拉夫卡迪奥·赫恩[1]致巴兹尔·霍尔·张伯伦
1891 年 8 月

1890 年,出生于希腊的作家拉夫卡迪奥·赫恩从美国移居日本。此前,他在美国生活了二十多年,并因大量描写新奥尔良的作品而闻名于世。搬到日本后,他立刻爱上了日本的文化和语言。此后他写了许多关于日本的书和信件,直到他十四年后去世。赫恩也很爱猫。1891 年,已在日本生活了一年的赫恩给他的朋友巴兹尔·霍尔·张伯伦写了这封信。张伯伦是一位英国出生的日本学专家,他于 1873 年移居日本,在东京任日语教授。

---

1. 拉夫卡迪奥·赫恩移居日本后改名"小泉八云",读者也许对后一个名字更加熟悉。

―― **信件正文**

松江，1891 年 8 月

亲爱的张伯伦教授：

我之前只能在铺着垫子的地上写字，现在终于找到了一个更好的地方。你的三封来信都非常令人愉快。你信中的问题，我今晚没法全部回答，但我找全所需信息后会马上答复你的。

但是，关于猫尾巴的问题，我现在就可以答复你。出云[1]猫（我以前误以为所有日本猫都差不多，最近才明白不是这样）一般天生尾巴长。但是日本人相信，所有没在小奶猫时期剪短尾巴的猫都会变成妖怪或者猫又（一种有两条尾巴的超自然生物）。一些怪谈里提到，长尾巴的猫会头上绑着毛巾在夜里跳舞。还有一些故事里提到，宠物猫会吃掉女主人，变成她的模样，身形、容貌和声音都和死者一样。你肯定知道，佛教的传统是猫不能进天堂。佛祖死去时，只有猫和蛇没有为他哭泣。在出云，人们不喜欢猫。但是

---

1. 出云：日本岛根县的城市，以"神话之国出云"而闻名。——编者注

在保木，我觉得猫的生存情况看上去似乎好一些。日本人不喜欢猫的真正原因是猫会在日式住宅里搞破坏：它们会抓破榻榻米（地上的垫子）、唐纸（用于装饰的纸）和障子（推拉门），会抓花木制品，还非要把食物拖到全家最好的房间里、放在地上吃。我非常爱猫，用美国人的说法，我"养"过超过五十只猫。但在日本，连我也不敢满足自己想养猫的愿望。事实证明猫这种动物太淘气了，而且它们总是想吃掉我养的日本树莺。

你曾经说过，人们对日本人的看法常会摇摆不定。现在我确实是这样，而且我这样已经有一阵子了。

有时我觉得他们看起来好小！但是我得再说一遍，虽然他们个子不高，但他们背后有一种巨大的东西——无限复杂、神奇的过往，吸收和同化的惊人能力。这些东西使人不得不怀疑，这个民族有某种与我们截然不同的力量，因为太过不同，我们甚至无法理解他们的这种力量。而且，正如你所说，在日本，不管有什么疑虑或烦恼，只需问自己一个问题："那么，在这个世界上，最适合与之一起生活的民族是哪个呢？"因为这个问题等于是问：异国社会生活带来智识方面的快乐是否超过这种生活的琐碎麻烦之处？而在日本，社会生活似乎根本没有什么琐碎麻烦的地方。

* * *

我之前没有经过充分查证，就为你解释了猫尾巴的事情。和往常一样，我又发现自己过于自以为是了。经询问，我了解到出云猫生的一窝小猫里通常既有短尾巴的，也有长尾巴的。这说明此地的猫有两个不同的品种。只要办得到，人们一定会把长尾小猫咪的尾巴剪掉一大半。短尾巴的小猫咪则不用剪尾巴。如果看见一只短尾巴的老猫，人们就会说："这只猫很老，但是她尾巴短，所以她肯定是只好猫。"（因为猫妖老了以后会有两条尾巴，而凡是坏猫一定是长尾巴的。）有人告诉我，松江最近的一次盂兰盆节上，有人看到坏猫在屋顶上跳舞。

你曾经给我讲过神道仪式及其可疑的来源，我觉得你说得绝对正确。唐狮子、纹章以及雕刻出来的龙都是从佛教借来的，这我觉得特别明显、不言自明。但在三条王子的忌日，我观察并参与了他们的葬礼仪式，惊讶地发现仪式极为古朴原始，简单到了奇怪的程度——为鬼魂而设的宴会、以白纸遮脸、呻吟般的歌唱、野蛮的音乐，在我看来这些都像是这个民族非常早期的传统与回响。你曾提到一本很可疑的书，我会试试看能不能查到它的起源。这里的人们严格遵守神道洗礼仪式，葬礼仪式上有很多奇怪的细节——不仅和佛教传统完全不同，而且对佛教有敌意。

顺便说一下，我在水尾神社买了一个"札"（护身符），然后带着它去美保关参拜一座"寺"（佛教寺庙）。结果有人告诉我不能把"御札"带进佛寺的庭院，因为神会不高兴的。

先写到这里，暂别了。

永远忠于你的，

拉夫卡迪奥·赫恩

—— 信件 07
可怜的莫琪
安妮·弗兰克致姬蒂
1944 年 5 月 10 日

1942 年 7 月，13 岁的犹太女孩安妮·弗兰克与家人一起在阿姆斯特丹躲藏起来。此前不久，安妮的姐姐玛戈特收到一封来自纳粹的信，要求她参加德国某地的劳改营。接下来的两年，弗兰克一家一直住在安妮的父亲奥托办公室的楼上。在此期间，安妮在日后著名的《安妮日记》中以信件的形式记录下了弗兰克一家的痛苦挣扎。这些信的收件人都是"姬蒂"，那是安妮喜欢的一套小说里的一个角色。1944 年 5 月，安妮在给姬蒂的信中谈到了一件与莫琪有关的事情。莫琪是奥托同事的儿子——彼得·凡·佩尔斯（他当时也躲在密室里）——养的虎斑猫。三个月后，弗兰克一家被盖世太保抓获。这封信完成后不到一年，安妮·弗兰克和玛戈特·弗兰克双双死在贝尔根-贝尔森集中营里。

—— **信件正文**

> 1944年5月10日,周三

最亲爱的姬蒂:

昨天下午,我们正坐在阁楼里学法语,我突然听见背后有水声。我问彼得,他知不知道那可能是什么声音。他不待回答便冲上顶楼——也就是灾难发生的现场,莫琪正蹲在她湿漉漉的猫砂盒边撒尿。彼得把她强行推回她该待的地方。接着是一阵阵大喊和尖叫。然后撒完尿的莫琪下楼来了。她四处寻找与她的猫砂盒类似的东西,最后找到了一堆刨花,就在地板上的一条裂缝里。猫尿立刻从顶楼淌下来,流到阁楼里,恰好滴在装土豆的桶旁边。天花板直滴水。因为阁楼的地板也有裂缝,所以黄色的小水滴从天花板漏到了餐桌上的一堆袜子和书本之间。

我笑弯了腰。那情景太好笑了。莫琪蹲在一把椅子下面;彼得拿着水、漂白粉和抹布;范·丹先生[1]正试着安抚大家。房间很快恢复了正常,但众所周知,

---

[1] 范·丹先生:即范·佩尔斯先生,安妮在日记中将范·佩尔斯一家化名为范·丹。——编者注

猫尿臭气熏天。土豆很好地证明了这一点,刨花也一样。爸爸把刨花扫进一个桶里,拿到楼下烧掉了。

可怜的莫琪!现在根本搞不到猫砂盒里用的泥炭,你哪里知道呢?

安妮

—— 信件08

我们就像生活在围攻战中似的

查尔斯·狄更斯致约翰·福斯特

1856年7月6日

1851年夏天,狄更斯一家在肯特郡布罗德斯泰尔海滨的堡垒山庄[1]度假。当地一位养鸟的女士送给狄更斯的女儿一只刚出生几周的小金丝雀。大家给小鸟取名迪克,所有人都很宠爱它。迪克很快就在狄更斯家安顿下来,成了家里的一员。但两只猫盯上了迪克,常在屋后游荡。在一封写给约翰·福斯特(狄更斯的朋友兼他的传记作家)的信中,狄更斯描述了当时的情况。所幸迪克后来又活了十年,死后于1866年10月14日被葬在海厄姆的嘉德山山庄[2]的一棵玫瑰树下。没被打死的猫后来终于放弃捕鸟,再也没人见过它。

---

1. 堡垒山庄:狄更斯在这里创作了《大卫·科波菲尔》,《荒凉山庄》的灵感也来源于此,故而这里后改名为"荒凉山庄"。
2. 嘉德山山庄:狄更斯家的另一处度假屋。

—— 信件正文

1856 年 7 月 6 日

花园里唯一的新闻是，我们与两只特别凶、特别可怕的猫（我估计是从磨坊那边来的）之间的战争白热化了。它们总是在黑暗的角落里瞪着闪闪发光的眼睛，打我们可爱的小迪克的主意。房子各处都是开放的，所以没办法把猫关在外面，而且它们隐藏自己的本事可吓人了：像蝙蝠一样吊在窗帘后面，等到夜深人静的时候才落地跳出来，发出吓人的尖叫。于是，法兰奇借来博古特的枪，在枪口填上子弹，放了两枪。不仅一点用都没有，他自己还被后坐力冲得仰天跌倒，完全像个小丑。不过，最后他终于（那时我进城了，不在家）瞄准了两只猫中比较温驯的那一只，把它打死了。现在，他日夜不停地躲在灌木丛后面，想打死另一只猫。除了这个，他每天什么也不干。男孩子们帮他监视敌情——那只猫一出现，他们就发出警报，但是猫听到警报便立刻警觉逃走了。我写信这会，他们明明穿好了去教堂的衣服，却全都趴在花园各处的地上。可怕的哨声此起彼伏，通知枪手该朝哪里瞄准。我都不敢出去，怕被枪击中。普罗尼什先生晚上祷告都像耳语一样小声，以免猫听见了不高兴。来送货的人一走到这条街上就大喊："我在这！是我呀——送面包的——不要开枪打我，法兰奇先生！"我们就像生活在围攻战中似的。最荒唐的是，唯一没太受这种狂热影响的居然是那只猫，它以一种令人惊叹的方式保持了常态。这一周之内（到7月13日），他们大约已经向那只猫（以及普通群众）发射了四磅火药和半吨子弹。最妙的是，高贵的猎手们刚在屋前的花园里结束一轮狂轰滥炸，我从我的房间里朝客厅一瞧，就看见那猫以最冷静的态度追着鸟儿从后窗那儿进来了。我非常确定我没看错。

我们与两只特别凶、特别可怕的猫之间的战争白热化了。

——查尔斯·狄更斯

—— 信件09
致所有波利卡狗和杰利卡猫[1]
T.S.艾略特致托马斯·法贝尔

1931年

1931年，美国诗人兼出版商T.S.艾略特在教子托马斯·法贝尔四岁生日之际给他写了这封信。八年后，T.S.艾略特出版了脍炙人口的诗集《老负鼠的猫经》。诗集的灵感之源就是这封信以及其中对派对邀请函的有趣模仿。几十年后，T.S.艾略特的这本诗集被安德鲁·劳埃德·韦伯改编为音乐剧《猫》，此剧取得了现象级的成功。艾略特与托马斯一直保持通信关系，直到1965年艾略特去世。

---

1. 小孩子说话口齿不清，会把"可怜的小狗"（poor little dogs）念作"波利卡狗"（pollicle dogs），把"亲爱的小猫"（dear little cats）念作"杰利卡猫"（jellicle cats）。艾略特模仿儿童的可爱发音创造了这两个词，后来他在诗集里虚构了一种名为"杰利卡猫"的生物，音乐剧《猫》沿用了这个设定。

—— 信件正文

费伯-费伯出版有限公司[1]

伦敦 W.C.1
罗素广场 24 号
1931 年复活节

亲爱的汤姆[2]：

我相信你快要过生日了，我想到时候你就四岁了（我算术不太好）。四岁是个好年纪，所以我想我们可以发这么一封邀请函：

邀请函

致所有波利卡狗和杰利卡猫

请来参加托马斯·法贝尔的生日会

---

1. 费伯－费伯出版有限公司（Faber & Faber Limited Publishers）：一家在伦敦的独立出版社，艾略特曾供职于此，也曾在此发表著作。同时，法贝尔名字的拼写也是 Faber。——编者注
2. 托马斯的昵称。——编者注

波利卡狗和杰利卡猫!

从你们的猫屋、狗舍、房子还有公寓里出来吧;

可怜的狗与猫,走近些;

亲爱的猫与狗,快出来;

带着你们的耳朵、胡子和尾巴,

翻过威尔士的群山和峡谷,来吧。

今年你们只有这一次机会,

只有这一次机会可以——你们觉得可以干吗?

刷干净大衣,露出脚趾,

蹦蹦跳跳,跳着舞来我这儿——

因为,今年,你们只有这一次机会

带着你们的胡子、尾巴和毛,

来

泰格林阿龙

西里亚阿龙

因为我邀请你们来

请带好长笛、横笛、小提琴和鼓

请带好小提琴、横笛、鼓和手鼓(一种能发出欢快声响的乐器)

来参加

托马斯·厄勒·法贝尔的生日会吧!

啊,但是,附言:我们还是不能把这封邀请函发出去。因为要是所有波利卡狗和杰利卡猫都来了(如果我们邀请他们,他们一定会来的),就会把路全都堵死。还有啊,他们会把沾满泥的脚踩进屋子里,你妈妈可一点都不会高兴。又及,你得给每只猫狗分一块你的生日蛋糕,猫狗那么多,你自己肯定就吃不到蛋糕了,那可太糟糕了,所以我们不能把这封邀请函发出去。所以叔叔给你的礼物只好到此为止啦。

来自你的傻叔叔,

汤姆

—— 信件 10

我看见你了,我美丽的男孩
伊丽莎白·泰勒致她走失的猫
1974 年

1974年,威尔士影星理查德·伯顿、李·马文和O.J.辛普森一起拍摄了《反黑双虎将》。电影拍摄期间,伯顿与伊丽莎白·泰勒(两人当时是夫妻关系)带着卡修斯(泰勒众多爱猫中的一只)搬到加利福尼亚住了两个月。新环境把卡修斯弄糊涂了,搬家后不久,它就从两人租住的房子里走失了。这让泰勒极为痛苦不安。泰勒试了所有办法,还是找不到她珍贵的猫咪朋友,便在不久后给卡修斯写了这封信。不幸的是,卡修斯再也没有回家。更糟糕的是,搬家的压力还导致了婚姻的破裂,迁回旧居后泰勒与伯顿离婚。不过第二年两人又复婚了。

—— **信件正文**

致我那走失的可爱猫咪的信：

我看见你了，我美丽的男孩。我面前是闪亮的棕黑色岩石，我在那上面的倒影中看见了你。雨后的叶子水光闪闪，在我的眼中摇曳不止，我在每一片叶子上看见你那碧绿的眼睛。

我记得你皮毛甜蜜的气味，当我深陷困境时，你用皮毛贴着我的脖子。于是，不知为何，你让我觉得好起来了，这我也记得——你知道的！我受伤的时候你总是知道我在难过，你会来安慰我。有一次我也安慰过你，那次你是一只心碎的小猫咪。

总之，我爱你，卡修斯——谢谢你的美好。

请回来吧！

—— 信件 11

猫不是一个简单的公式

亨利·哈兰致《黄面志》

1896 年 7 月

亨利·哈兰 1861 年生于布鲁克林。在职业生涯的前半段,他用笔名西德尼·卢斯卡创作了一系列描写美国犹太移民生活的小说。这些作品取得了商业上的成功,在文学评论界却大受批评。大部分人以为西德尼·卢斯卡真的是一名在美国生活的犹太移民。1889 年,哈兰移居伦敦,卸下伪装,开始用真名发表小说。他此后的作品获得了文学评论界的赞赏。1894 年,哈兰还当上了英国杂志《黄面志》的文学编辑。这是一份季刊,一共发行了三年。他不仅任该刊编辑,有时还与亨利·詹姆斯[1]、W.B. 叶芝等名家一起为其供稿。这封信刊登在 1896 年的《黄面志》上,署名"黄矮人",后来人们才发现这个经常出现在《黄面志》上的名字其实是哈兰的笔名。

---

1. 亨利·詹姆斯(Henry James):英国、美国作家,代表作有《仕女图》(又译《贵妇画像》)等,被认为是英语文学史上最杰出的作家之一。

—— 信件正文

先生：

如果我说普通人喜欢简单明了、一目了然的东西，希望你不要误以为我是在博取他们的好感。因为，和所有不动脑子的生物一样，那些蠢人也是有逻辑的。因此，面对微妙、难以捉摸的东西，他们的态度若不是无动于衷的冷漠，便是完全的不信任与不喜欢。

几乎所有东西都在证明这个不光彩的事实：从啤酒和九柱球的流行，到霍尔·卡恩[1]先生的小说的风靡；从公众对鱼子酱的厌恶，到他们对亨利·詹姆斯先生的小说的忽视。但是，我们也不要离题太远，走到自家壁炉前的地毯上就足够了，现在请允许我要求您稍微考虑一下猫和狗在普通人心中的相对地位。

在猫狗之中，一般人都特别张扬地偏爱狗。

而对猫这种公主般高贵的动物，一般人若不是麻木地冷漠视之，便是全然地不信任且不喜欢她们。

我以"公主般高贵"一词形容猫乃有意为之。因为

---

1. 霍尔·卡恩（Hall Caine）：英国作家。他的作品格调不高，多描述通奸、离婚等情节，但在当时十分畅销。

猫是百兽之王的近亲,所以从血统上看,猫就是兽中的公主。是的,我亲爱的先生,猫总是像公主一样,尽管一般人总能靠最精准的直觉找到最不恰当的词汇,有时竟给猫起"托马斯"这样的名字。猫永远是公主,因为世上一切美好之物、精致之物、敏感之物、高贵之物、美丽之物、可贵之物本质上皆为女性,哪怕碰巧生为男性。我这话就如福音书上的真理一样颠扑不破,就让W.E.亨利[1]先生的那些强壮有力的年轻门徒声嘶力竭地喊叫,尽情地庆祝阳刚之气吧。而猫就是公主。

相反,狗甚至连绅士都算不上。远远算不上。爱狗之人尽可以试图遗忘这个事实,但事实就是事实,在每一部自然历史中都写得清清楚楚:狗来自四足动物中最卑贱的家族。他的私生弟兄狼是懦夫加小偷,他的表兄弟鬣狗专吃腐肉。狗的身体上,难道不就像狗的性格一般,保留着卑贱血统的千百个烙印?他粗糙的外衣(而猫身披丝绸般的斗篷);他单调刺耳的声音(而猫的嗓音千变万化:多变的喵喵声、啾啾声、呼噜声,音色与转调的变化多到数不清);他笨拙僵

---

1. W.E.亨利(W.E.Henley):英国诗人,代表作是诗歌《不可征服》。《不可征服》歌颂不可征服的灵魂,强调绝不向命运低头云云,所以此信作者认为他是"阳刚之气"的代言人。

硬的动作（而猫的行动是那样优雅柔美，简直无法用语言形容）。总而言之，他周身洋溢庶民的平庸之气，那种气质就如笼罩在他头顶上的空气一般挥之不去（而猫却通体散发贵族的矜持与高贵）。既然狗是狼的兄弟，那他不也和狼一样是懦夫吗？您瞧呀，狗在街上把猫赶走，仿若恶徒欺负无人保护的淑女。可当这淑女停步转身、意欲反击时，您再瞧呀，呔，那个懦夫！确保自己没有丝毫危险时毫不顾忌地展示出最野蛮的一面；可那淑女一旦停步转身，他就立刻垂头丧气地突然退缩了。既然狗是鬣狗的表亲，那他有时不也和鬣狗一样会疯狂激动地馋那腐肉吗？在君士坦丁堡，狗是公共清道夫（并没有报酬，单纯因为狗爱干这个），贪婪地吞噬土耳其人倾倒的粪便。《圣经》告诉我们狗吃什么：谁知道他不仅吃自己呕吐出来的东西，还吃别人呕吐出来的东西呢[1]？有一天，我正在沙滩上散步，旁边是无边无际的大海，碰巧遇见了一位朋友和她的小猎犬。她捉住那小浑蛋的颈背，把他反复按进一池水里洗了又洗。我站在一旁看得起劲，因为那只小狗似乎很不高兴，他又踢又闹，弄得水到处

---

1. 见《圣经》箴言 26:11："愚昧人重复愚妄事，就像狗转过来吃自己所吐的。"

乱溅。我那朋友可怜兮兮地对我解释:"他在那下面发现一只腐烂的水母,就跳上去打滚。"我倒想看看有哪只猫会跳到腐烂的水母上打滚。猫精致讲究,爱干净到一丝不苟的地步,在如厕问题上花费大量时间精力,在其他一些更为私密的方面更是挑剔到了近乎病态的程度,这些都是猫贵族本性的具体表现。而狗的粗鄙习性和恬不知耻,在这就没必要提了吧。

在你遇到的狗中,可有任何一只不是粗俗的莽夫?可有任何一只不是以大欺小的恶霸、不是逢迎之徒、不是势利小人?在你遇到的猫里,可有哪一只有以上这些缺点?你可见过哪只猫会冲向胆小的小姑娘,对她大声吠叫,把她吓个半死?你可见过哪只猫会在主人离开客厅的时候对客人无礼,只要客人在椅子上稍动一动,就肆无忌惮地露出牙齿,对客人咆哮?你可见过哪只猫,主人一转过身去,就对仆人大吼大叫、又扑又咬?你可见过哪只猫会在你面前奴颜婢膝、摇尾乞怜,你伸手打她,她倒还要吻那只手?

猫深知自己血统高贵,因此也理解并接受随之而来的责任。她知道她对自己、对自己的阶级以及对该阶级的高贵理念要尽哪些义务。因此,你必须做她的朝臣,而不是她的主人。而狗呢,如今早就没什么骨气可言，他们会察言观色、揣摩你的情绪，然后像奴才一样按你的眼色调整自己的行为和情绪。猫绝不会这样。因为在你和猫之间，你必须取悦她，她不会取悦你。猫从不觉得自己依附于你，而认为自己是家里的客人，所以她会时刻记住客人应有的礼节和周到。你得尊重她的喜好。若她想睡觉，你却去打扰她，她会摆出一副不屑一顾的忧郁做派，那是在无声地谴责你的粗鲁无礼。若她爱保持端庄严肃，你却去诱她嬉戏玩闹，随你怎么逗她，她也不会理你。若她想保持冷淡，那人类的任何言行都不可能赢得她的爱抚。若她想叫你走开，只有把门关紧才能说服她继续与你共处一室。你得做她的朝臣，得按她的愿望去讨她的欢心。

但是！

在她愿意的时候，她会主动选择卸下防备，那时的她是多么优雅、多么迷人啊！啊，她的一举一动里有千般惊喜、万种风情！成就这魅力的是她的机智、她的幽默、她的想象力。她妙计多端，她声东击西，她突然高歌胜利，又突然佯作绝望！还有她眼中闪烁的光彩，如黄玉、如翡翠；她的衣装，如绸缎般光亮；它的体态，柔软婀娜，好不诱人！她还会给游戏设计许多插曲：有时她会迈着庄严的大步，在房间里绕来绕去,还像摇旗似的挥舞尾巴;有时她会娇媚地往你脚边的地毯上一躺,摆出迷人的姿势,好一会儿不肯挪动;有时(如果她爱你的话),她会跳上你的肩膀,把她的脸颊贴上你的脸颊,喃喃地诉说她对你狂热的爱意。你仿佛得到了一位公主的爱!自卡拉巴斯侯爵[1]以下,不管是谁,只要曾被一只猫爱过,便会尝到这种喜悦。我自己就有一只亲爱的猫,此刻她正像条围巾似的缠在我的脖子上,看我的笔尖在纸上移动,对我的观点发出赞许的呼噜声。但是,偶尔我也会写下一个她认为不尽恰当的词语,她便会伸出天鹅绒般的小爪子,轻轻敲一下那个词叫我改掉。我倒要看看哪只狗有这个本事。

但是——猫是微妙的、难以琢磨的、无法一眼看透的,猫不是一个简单的公式。因此普通人——那种大啖羊肉、四处捞钱的粗鄙生物——若不能冷淡麻木地忍耐猫,就会不喜欢、不信任猫。一个伟大的灵魂,被误解、被低估,坐在烟囱的角落里,无人理睬她;而那些愚蠢的白痴永远猜不到猫有多么鄙视他们。

但是——狗却那么一目了然。任何一个傻瓜都能明白狗的意思。于是,把势利眼当作信仰的普通人就

---

1. 卡拉巴斯侯爵:童话故事《穿靴子的猫》里的角色,他在一只猫的帮助下娶了公主为妻。

此变节，把鬣狗的表亲搂进怀里。

为什么要说这些呢？

只因为从普通人对待猫狗的态度中，我们可以看出一种模式、一种特征，他们对许多其他东西的感情，尤其是他们对书的感情，也同样符合这种模式与特征。

有些书粗糙、笨拙、吵闹，罔顾艺术的尊严，迎合读者低劣的品位，平庸、低俗，缺乏灵气和特点。这些书就是书界的狗。普通人热爱这种书。

因为这种书虽然毫无价值，却是通俗易懂的。

而另一些书，因其美丽与高雅，因其优雅与精致，因其精雕细琢，因其细腻、出色而高贵，因其笔触轻盈，因其行文灵巧迅捷，因其通过省略、含蓄与暗示来表达意思，因其藏而不露、幽微曲折，总之，因为它们微妙，所以这些书是书界的猫。

普通人要么讨厌这类书，要么无视这类书。

亲爱的编辑先生，如往常一样，在信尾署名是我的荣幸。

您忠实的仆人，
黄矮人

—— 信件 12

猫与鸟

阿德莱·史蒂文森二世致第 66 届议会的各位参议员
1949 年 4 月 23 日

1949 年,迫于"鸟类之友"组织(该组织成立的初衷是"促进对鸟类的善意")的压力,伊利诺伊州议会通过了第 93 号参议院法案。法案题为《通过限制猫类以保护食虫鸟类法案》,拟对允许自己的宠物猫随意游走、不牵绳的养猫人实施经济处罚,每次违法最多可处罚金 5 美元。法案出台后受到广泛嘲讽,至少养猫群体认为它十分荒唐,因为他们深知猫和狗不一样,根本不会容忍被绳子拴住这种事。对该州的猫和养猫人而言,幸运的是新当选的伊利诺伊州州长阿德莱·史蒂文森二世也对这项法案不以为然。他以一封信否决了法案,这封信很快就登上了新闻。

—— 信件正文

伊利诺伊州

行政部门

斯普林菲尔德

1949年4月23日

致第66届议会的各位尊敬的参议员：

我在此随信退回题为《通过限制猫类以保护食虫鸟类法案》的第93号参议院法案，不予批准。该法案被人们称为"猫咪法案"。我对其予以否决，不予批准，理由如下：

若法案通过，将对允许猫在自宅以外场所自由行动的猫主人或养猫人处以罚款。对于在自宅以外场所自由行动的猫，该法案将允许任何人将其抓捕，或要求警察将其抓捕并监禁。该法案还允许使用捕猫装置。该法案适用于全州所有地区，包括农场、村庄及大城市。

该法案在过去几届议会中被多次提出，多年来引发了不少评论——其中不乏戏谑嘲讽之词。或许议会认为，现在应该把法案提交给一位有能力以新视角审视它的人。不管本届议会基于何种理由通过了此项法案,我既无法相信它顺应了群众的广泛需求,也无法相信它具有实际执行的可能性。

此外,我认为伊利诺伊州的公共政策不应把猫拜访邻居家的庭院或穿过高速公路判定为妨害社会利益的事件。一定限度内的自由游逛是猫的天性。许多猫与主人一起住在公寓里或其他不可自由出入的居所中,难道我们要把猫的每次短暂出游都变成热心市民用陷阱或其他装置狩猎的机会吗?我对此持怀疑态度。我担心此项法案只会导致冲突、回击和敌意。我们还应考虑猫主人面临的两难困境:牵绳出门遛猫违背猫的天性,但允许猫冒着被人抓捕的风险夜间独自出门活动又违背猫主人的天性。此外,猫能为人类提供有用的服务,尤其在农村地区,它们是帮助人类打击啮齿类动物的好手。这项工作必须由猫独自完成,而且会不可避免地跨越产权界限。

我们都想保护某些品种的鸟类。猫会伤害某些鸟类,这我十分清楚。这项法案的支持者抱有可敬的初衷,也付出了无私的努力,但我相信法案的通过对实现他们的目标帮助甚微。猫与鸟的冲突与时间本身一样古老。若我们试图以立法手段解决这个问题,谁知道我们还得在多少古已有之的问题上选边站呢：在猫与狗、鸟与鸟，甚至鸟与虫的冲突中，难道我们也得支持其中一方吗？在我看来，伊利诺伊州政府及州内各地管理部门手头的工作已经够多了，没有必要再去试图管制猫科动物的犯罪问题。

基于以上理由，我否决第 93 号参议院法案，不予批准。我做此决定并不是因为我爱猫超过爱鸟。

恭敬的，

阿德莱·E. 史蒂文森二世

州长

—— 信件 13

5000只大猫小猫堆成一堆
弗雷德里克·劳·奥姆斯特德致儿子
1875年5月13日

　　弗雷德里克·劳·奥姆斯特德1822年生于美国康涅狄格州。他被许多同行视为"美国景观设计之父"。即使是最外行的人,也会觉得这个称号名副其实,因为奥姆斯特德参与设计了一批美国最著名的城市公园,其中以纽约的中央公园最为出名。他的其他设计不胜枚举,包括重要的景观大道、自然保护区、大学校园、政府大楼等。然而,1875年5月,在奥姆斯特德四岁的儿子眼中,父亲的这些成就通通毫无意义。小亨利当时正和妈妈一起住在外地,离家数百英里(1英里约1.6千米),他一心只想见见家里的狗——奎兹,所以写信要父亲把奎兹送来。他的父亲回了这样一封别出心裁的信。

―― **信件正文**

1875 年 5 月 13 日

亲爱的亨利：

老是有猫跑进我们院子里来，每天都会进来 6 只，奎兹会把他们赶出去。假如我把奎兹送到你那里去，让他帮你赶走偷吃你种的大黄的牛，那他就不能留在家里把猫赶出院子了。如果院子里每天进 6 只猫，一只都不离开，那么一周后就会有 42 只猫，一个月后就会有 180 只猫。等到你十一月份回来的时候，就会有 1260 只猫。如果十一月前院子里有 1260 只猫，那么至少一半的猫会生小猫。如果其中一半生一窝 6 只小猫，我们家院子里就会有超过 5000 只大猫小猫。那样罗莎娜就没地方晒衣服了，除非她把这么多猫都从草地上赶走。可是如果她把猫从草地上赶走，它们就得全部挤在院子尽头靠近房子的那块地方。那样的话，它们就会堆成很大一堆，一直垒到我的窗户顶端那么高。5000 只大猫小猫在我的窗户外面堆成一堆，有些还是黑猫，这会让我的办公室非常黑暗，我就不能在里面写东西了。此外，被压在下面的猫，特别是其中的小奶猫，会被上面的猫挤得很痛，我认为它们会不停地发出很响的尖叫声，吵得我没法睡觉。如果我不能睡觉，那我也没法工作了。如果我不工作，我就没钱。如果我没钱，我就不能寄钱去普利茅斯支付你乘坐福尔里弗汽船回来的船票钱，我也没钱自己买票去普利茅斯，于是我们俩就再也不能见面了。这可不行呀，先生。我不能把奎兹送到你那里去，你必须自己看住牛，自己把牛赶走，不然你就种不出任何大黄。

             爱你的父亲

—— 信件 14

僵尸

罗伯特·骚塞致格罗夫纳·贝德福德

1821 年 4 月 3 日

　　罗伯特·骚塞 1813 年成为英国的桂冠诗人,此后保有此头衔三十年,直至 1843 年去世。他是塞缪尔·泰勒·柯勒律治和威廉·华兹华斯的朋友;也是著名的传记作者,曾为霍拉肖·纳尔逊、奥利弗·克伦威尔等人立传。他不知疲倦地创作了许多评论、政治论文、翻译作品、新闻稿件和书信,1837 年还写过一篇童话,题为《三只熊的故事》。这篇童话最初收录于他的一本匿名作品集中,被认为是《金凤花姑娘与三只熊》的首版。多年之前,在 1820 年 11 月,骚塞收留的一只名叫奥赛罗的猫去世了。悲痛的骚塞一家成了本地鼠帮的重点攻击目标。几个月后,骚塞写信给朋友格罗夫纳·贝德福德,说家里已经找到了接替奥赛罗的新猫——"僵尸"。

—— **信件正文**

1821年4月3日

我亲爱的G.：

去年年底奥赛罗死后，我立刻把他的死讯告诉了你。自那件悲痛的事情发生以来，这栋房子里一直没有养猫，直到3月24日周六。卡尔弗特夫人知道我们深受鼠害，便提出送我一只猫——据她说是一只漂亮的成年黑猫，而且是只公猫。她说这只猫其他方面都很出色，只有一个问题：他是捉鸽子的行家。因为她家有一间鸽舍，所以他们不得不对他做出必要的判决：要么送走，要么弄死。我动了恻隐之心（也因为我喜欢他的毛色和性别），决定收留他。当天晚上，他就被装在袋子里送到了我家。

格罗夫纳，你是个爱猫的人，所以即使是最有造诣的生物学家也不及你了解猫的天性。你肯定知道要让一只猫适应新的住所有多困难。我们打开袋子的时候，通往走道的厨房门也开着，于是这只猫立刻消失了；虽然并不真的像一道闪电，但就跟闪电一样快——也就是说，就比喻意义而言犹如闪电。他不可能跑回卡尔弗特夫人家的鸽舍。要是我家在其他方向上,那就算两家之间的距离是现在的三倍,他也有可能跑回去。但是从我家到卡尔弗特夫人家要么得渡过一条河,要么得穿过镇子的一部分,两者对他而言都是巨大的障碍,所以我们相当确信我们这一侧的所有地方都是他从未涉足过的陌生领域。因此,我们把食物放在他夜里可能找到的地方。在孩子们的一致要求下,我还担负起给他起名的责任,因为一只猫没有名字是不合适的。考虑到他的毛色,还有他的性别,我的第一个念头是叫他"恩里克·迪拉兹[1]",要是可怜的科斯特还活着,听到这个名字一定会赞同的。但我很快想到,"僵尸"这个名号也很合适,而且更有气势。因此,他就被取名为"僵尸"。

我们很快确认,僵尸占领了可怜的威尔西地窖。那里堆满了种豌豆用的支棒,为他提供了一个安全的藏身之所。那片房子的厨房也是无人使用的弃屋,所以完全没人打扰他。我们每天给他摆好食物,孩子们焦急地等待僵尸适应这座房子,还希望我们能允许他们去和他混熟。晚间有人在门外见过他一两次,我们

---

[1] 恩里克·迪拉兹(Henrique Diaz):在葡属巴西带领黑人抗击荷兰军队的黑人将领,人称"黑总督"。

知道他夜里出来四处巡视侦察过。但他继续顽固地隐藏不出,持续了七天七夜,从上个周六到这周六。尽管我们好声好气地用各种言语哄他出来,但他似乎已经下定决心隐居至死。

但是,周日凌晨四五点之间,凡是有耳朵的人都被僵尸的尖叫吵醒了。他似乎被捕鼠夹夹住了,或者是遭遇了其他痛苦的事故。贝德福德先生,你很懂猫,很清楚猫的独唱和对唱声音截然不同,任何通晓猫语的人都不可能把他们表达痛苦的叫声误认作其他叫声。那只动物似乎非常痛苦。我们找来一盏灯,希望能缓解他的痛苦(如果可能的话)。我们把房子搜了一遍,有人看见僵尸站在威尔西的楼梯顶层,然后从那里消失,退入他的地窖据点。我们找不到任何他出事故的痕迹,后来他看起来也完全不像受过伤的样子。因此,此次夜间骚动的原因至今仍是难解之谜。

我们试图用各种各样的方式解释这件事。某些因为太怕老鼠而觉得老鼠威力无穷的女人认为,僵尸是被一只或一群老鼠咬了。对此说法我要义愤地反驳:如果是那样,地上应该散布鼠尸,而且我们听到的应该是老鼠的尖叫,而不是僵尸的尖叫。因此,排除这种不可能的解释。我把我想到的其他各种可能性以问题的形式提交给你评判。我承认,这些解释都不尽如人意。我想努力解开这段奇妙历史的奥秘(我认为如此称呼此次事件恰如其分),恳请你予以协助。你可以安心地记住一点:参与此次事件的猫只有一只,就是僵尸——这一点我非常确定。

那么,格罗夫纳,现在让我问你:

1. 僵尸是见到魔鬼了吗?

2. 他在对自己求爱?

3. 他在和自己作战?

4. 他在试图召唤魔鬼?

5. 他听过我唱歌,所以他会不会是在模仿我的歌声(但根本学不像)?

你应该能看出,以上解释均假设我们听到的声音是僵尸发出的。

但除此之外我还要问:

6. 那会不会是魔鬼的叫声?

7. 会不会是杰弗里的叫声?

8. 会不会是魔鬼或者杰弗里在折磨僵尸,所以他才这样叫喊?

我还有最后一点要补充:从那次事件到现在,僵

尸依然顽固地隐居不出。还有,我想向你保证:

贝德福德先生,

我依然对你抱着最崇高的敬意,

并将永远是你的朋友。

罗伯特·骚塞

又及:我写这封信的时候又想到一种解释,那个周日是本月的第一个周日,所以:

9. 他会不会是在和我们开愚人节玩笑?

L.S

—— 信件 15

宝贝,打起精神来

加布里埃尔-安格·列维斯克(凯鲁亚克的母亲)

致杰克·凯鲁亚克

1960 年 7 月 20 日

1960 年,"垮掉派"诗人兼小说家杰克·凯鲁亚克的巨著《在路上》出版已有几年。这年夏天,凯鲁亚克把母亲留在纽约诺斯波特的家中,自己动身前往西海岸,打算去大苏尔[1]的一间小木屋里过几个月平静的日子。小木屋的主人是凯鲁亚克的朋友——同为诗人的劳伦斯·费林赫迪。这本该是一段放松和思考的时间。然而,一到目的地,凯鲁亚克就接到一封母亲匆忙寄给费林赫迪,再由费林赫迪转交给他的信,信中是凯鲁亚克心爱的猫——泰克的死讯。后来,凯鲁亚克表示此事对他的影响不亚于他早年痛失兄长:1926 年,凯鲁亚克年仅九岁的哥哥夭折,当时小凯鲁亚克只有四岁。

---

1. 大苏尔:加州一处风景优美的海滨胜地。

—— 信件正文

1960年7月20日，周日

亲爱的儿子：

我恐怕你不会喜欢我这封信，因为此刻我只能告诉你一个悲痛的消息。我真的不知道该怎么把这件事告诉你，但是，宝贝，打起精神来。我自己现在也异常痛苦。小泰克走了。周六他一整天都挺好，似乎还恢复了一些气力。可是那天深夜，他开始打嗝和呕吐，那时大概是凌晨1点半，我正在电视机前看一部夜间电影。我走到他身边，想帮他好起来，然而完全没效果。他浑身发抖，好像很冷，所以我用一块毛毯把他裹起来，然后他开始吐得我浑身都是。他最后的情况就是这样。我的感觉如何、我经历了什么，这些都不用说了。我一直熬到天亮，尽我所能想把他救回来，但都没有用。凌晨4点，我知道他已经走了，于是6点钟的时候我用一条干净的毛毯包好他，7点钟，我去外面为他挖坟墓。我这辈子从没做过如此令人心碎的事情：埋葬我心爱的小泰克。他虽然是只猫，却像个人，与你我一样的人。我把他埋在篱笆角落的忍冬藤下。我根本吃不下饭，也睡不着觉。我老是朝地窖门那里看，希望看到他从那里跑出来，叫一声"喵"。我真的很不好，还有，我埋葬泰克的时候，发生了一件特别奇怪的事情。那些我喂了一个冬天的黑鸟好像都明白发生了什么。真的，儿子，我没骗你。好多、好多的黑鸟飞过我的头顶，啾啾地叫着，然后停在篱笆上，在我安葬泰克后整整一小时里，那些鸟儿一直这样做——那情景我永远不会忘掉，要是我那时拿相机拍下来就好了，但是上帝和我都知道那是真的，我们亲眼看见了。好了，宝贝，我知道这会让你难过，但是我必须设法告诉你……我太难过了，不是身体上难过，是心灵上难过……我就是不能相信、没法接受，我美丽的小泰克再也不在了——我再也看不到从他的小"窝棚"里出来了，再也看不到他从绿草间穿过了……

又及：我得把泰克的小窝棚拆掉，我真的受不了一走到外面就看到那棚子空着——现在他就那样空着。好了，宝贝，我们很快再通信吧，照顾好自己。向真正的"上帝"祈祷——

你的老妈 ××××××

我老是朝地窖门那里看,希望看到他从那里跑出来,叫一声"喵"。

——加布里埃尔-安格·列维斯克

—— 信件 16

关于在金鱼缸中溺毙的爱猫之死的颂诗

托马斯·格雷致霍勒斯·沃波尔

1747 年 3 月 1 日

1747 年 2 月的一天,在著名历史学家霍勒斯·沃波尔家中,他的宠物猫之一——塞利玛——决定做一件她常做的事:趴在一只装金鱼的中国瓷缸的边缘。那里是盯住缸里的水面、策划攻击的完美站位。接着发生了对所有当事者(包括金鱼)而言都非常遗憾的事情:这次塞利玛失足掉进了水里。她虽尽力挣扎,还是一路滑进了缸底,那装满鱼的陷阱四壁太陡,令她无法逃脱。当时的情况有多混乱,我们只能靠想象了。塞利玛没能死里逃生。得知她的死讯后,沃波尔请朋友——诗人托马斯·格雷——为塞利玛写一段合适的墓志铭。格雷很快就回信了,但他写出的不是短短的墓志铭,而是一篇长得多的颂诗。此诗的第一段后来被沃波尔刻在淹死爱猫的鱼缸上。

—— **信件正文**

剑桥

1747 年 3 月 1 日

  表达吊唁之情时应当特别小心,避免粗心犯错,因此(在我表达我的哀思及对你所遭受的不幸的真挚同情之前)若能确知我哀悼的是哪一位,对我而言将是莫大的满足。我认识扎拉和塞利玛(是塞利玛吧?还是法提玛?),或者应该说我同时认识她们俩,因为我分不清谁是谁。因此,关于你信中提及的"美猫",关于你究竟唤她什么名字,我其实相当茫然。但我知道人们说的"美猫"总是指他最钟爱的那只猫,或者,若是一只猫死了,另一只还活着,那么通常死去的那一只才是最美的猫。另外,假如我的意思表达得还不够清楚,我希望你不要误以为我对幸存的那只猫全无兴趣,并因此觉得我缺乏教养或鲁莽无礼:噢,不是那样的!我宁愿显得像犯了错,也要确定遭遇不幸事故的确实是虎斑的那只猫。在对这一点稍微确定一些之前,请恕我不能开始高唱:

"徒劳地寻找安息之地。"[1]

这样的延迟更为方便,因为如此我便有时间与你一同庆贺你的新荣誉。这只是一个开始。我估计下周我们便会听说你是共济会会员,或者至少是戈摩根会[2]会员。嘿哟!我觉得(相信你早就这么觉得了)自己没什么可说的,至少诗歌以外的普通言语我说不出太多。对某些人来说,这倒是有好处:我说的不是你,而是你的猫——已故的塞利玛小姐,我将用以下的诗歌让她在一两周之内不朽。

关于在金鱼缸中溺毙的爱猫之死的颂诗

那是在一个高高的花瓶之侧,

瓶上,最华美艳丽的中国艺术染出

盛放的蔚蓝花朵;

虎斑淑女中最端庄的塞利玛小姐

---

1. 原文为拉丁文,似是化用自维吉尔的《埃涅阿斯纪》。
2. 戈摩根会:18世纪时由一位被放逐的共济会会员菲利普·沃顿建立的一个短暂的社团组织。其创建人同时是收信人父亲罗伯特·沃波尔的政敌。这里写信人似乎是在用开玩笑的口吻调侃霍勒斯·沃波尔很快就会改变心情,走出爱猫死亡带来的悲痛。

斜倚沉思,

凝望身下的湖面。

她故意摇晃着尾巴,宣誓她的欢愉;

她白皙的圆脸,雪般的胡须,

天鹅绒似的爪子,

她衣上的花纹,能与玳瑁媲美,

她黑玉般的耳朵,祖母绿般的双眼,

她看见了,便发出赞许的咕哝。

但她仍继续凝望,只见那潮涌之中

两个天使般的身影轻轻滑过,

溪中的精灵,

鳞甲上闪着苏尔紫[1]的光泽,

那最丰艳的紫色中,

又透出一缕金光。

不幸的宁芙愕然见到:

先是一根胡须,再是一只爪子,

---

1. 苏尔紫:苏尔,城市名,今属黎巴嫩。苏尔古代出产一种稀有的紫红色染料,那种颜色被称为"苏尔紫"。

满怀多少炽热的渴望,

她徒然倾身,想伸手去捞那无上的奖品。

哪个女人的心会不爱黄金?

哪只猫儿能抗拒鱼儿?

放肆的少女啊!她满脸渴望,

她又再倾身,她又再弯腰,

对中间的鸿沟浑然不觉。

(恶毒的命运就坐在一旁,脸带微笑地看着)

她的纤足被湿滑的边缘哄骗,

她就这样一头跌进水里。

她从水里挣扎出八次,

喵喵呼唤,求每一位水神

速速来救。

德尔芬[1]没有来,涅瑞伊得斯[2]没有动,

残忍的汤姆和苏珊没有听见——

---

1. 德尔芬:古希腊神话中的海豚形神兽,是后半句提到的"涅瑞伊得斯"的坐骑。
2. 涅瑞伊得斯:古希腊神话中的海中仙女。

最受宠的人总是没有朋友的!

从此以后,美人们切要记住!再别受骗上当,
须知一步踏错,便是再难回头;
纵使勇敢,也要谨慎:
诱惑张望之眼的,打动无知之心的,
未必都是合法的奖品。
而闪光的,也未必都是金子!

我为你写了这首诗,做墓志铭有些长了。

—— 信件 17

福斯死了

爱德华·李尔致阿伯戴尔勋爵

1887 年 11 月 29 日

    1887 年,英国诗人兼插画家爱德华·李尔致信朋友阿伯戴尔勋爵,告诉后者一个不幸的消息:李尔的虎斑猫福斯死了。福斯从小奶猫时期就是李尔的宠物。福斯的死不仅让李尔悲痛,也让许多喜爱李尔的读者伤心,因为李尔生前已是一位很受欢迎的作者,许多读者都通过李尔画笔下的福斯形象爱上了这只猫。两个月后,李尔死于心脏病。收信人阿伯戴尔勋爵后来在这封信的抬头亲笔写上了这样的字样:"我亲爱的老朋友的最后一封信,他死于 1888 年 1 月。"

—— **信件正文**

> 圣雷莫
>
> 丁尼生别墅
>
> 1887 年 11 月 29 日

我亲爱的阿伯戴尔勋爵：

我一直想知道你的手现在怎么样了——是完全康复了？还是仍然有问题？尽管我有很多文章要写，但我现在不怎么能写东西了。

因为，每个认识我 30 年的人都知道，这 30 年来，我的猫福斯一直是我孤独生活的一部分。

福斯死了。我要很高兴地告诉你，他完全没有受罪，他的一侧身体已经彻底瘫痪。于是昨天我把他放进一个盒子里，深埋在橘子路尽头的无花果树下。明天我会在那里立一块石碑，写上他的死亡日期和年龄（31 岁，其中 30 年是在我家里度过的）。

Qui sotto è sepolto il mio buon
Gatto Foss. Era 30 anni in casa
mia, e morì il 26 Novembre

1887, di età 31 anni

（我的好猫福斯埋于此下。他在我家里度过了30年，死于1887年11月26日，享年31岁。）

所有了解我人生的朋友都会明白，失去福斯让我非常悲痛。至于我自己，我还是和往常一样，除了在11月5日狠狠地摔了一跤：因为我从床上起来时灯灭了，火柴又不知被放到哪里去了，结果我找不到火柴点灯。

那次摔到以后，我连续好几天都不太好。不过现在——感谢上帝，29日周四开始，情况不那么令人担心了。萨尔瓦多已经为福斯弄好了墓碑，墓志铭也刻好了。我想再过一两天，一切便会恢复原状了，除了我心里会留下对我可怜的朋友福斯的怀念。

Qui sotto sta seppolito il mio buon
Gatto Foss. Era 30 anni in casa mia,
e morì il 26 November 1887— in età
31 anni.

（我的好猫福斯埋于这块石头之下。他在我家里度过了 30 年,死于 1887 年 11 月 26 日,享年 31 岁。)

请尽快告诉我你的手现在怎么样了。最近我失去了许多朋友,其中包括乔治·克里夫夫人的兄弟——哈维·法夸尔。

请代我转达我对大家的爱。

爱你的,

爱德华·李尔

—— 信件 18

猫迷

安·兰德致《猫迷》杂志

1966 年 3 月 20 日

除了创作《源泉》《阿特拉斯耸耸肩》等小说以外,俄裔美籍作家安·兰德还提出了一套反对利他主义、支持利己主义的哲学,这套观点贯穿于她的作品之中。她后来把这套哲学称为"客观主义",其核心是相信人的"最高道德目标是实现自身的幸福。人既不应该强迫他人,也不应该接受他人的强迫。每个人都应该为自己而活,追求理性的自我利益"。安·兰德订阅了《猫迷》杂志,1966 年,她写信回答了该杂志编辑提出的一个问题。

—— 信件正文

1966 年 3 月 20 日

亲爱的史密斯小姐：

你问我是泛泛地喜欢猫，还是自己真的养了猫，或是两者都是。我的答案是：两者都是。我喜欢所有猫，而且自己也养了两只猫。

你问我："你订阅本杂志是因为对猫感兴趣，还是说你订阅本杂志完全是为了某种客观目的？"我订阅你们的杂志完全是为了客观目的——因为我对猫感兴趣。我可以客观地论证猫具有很高的价值，《猫迷》杂志的创刊号便能为此论点提供部分证据。（"客观"并不意味着"不感兴趣"或无动于衷。"客观"的意思是与现实中的真实情况相符，这个词既可以形容知识，也可以形容价值。）

我订阅《猫迷》杂志主要是因为杂志里的图片，我觉得你们的创刊号非常有趣、非常令人愉快。

安·兰德

—— 信件 19

真遗憾这么好的猫听不见声音
威廉·达尔文·福克斯致查尔斯·达尔文

1860 年 8 月 16 日

如果你想养蓝色眼睛的白猫,请注意:这种猫很可能听不见声音。这是因为它们身上的"白色遮盖基因"(简称 W 基因)是显性基因。W 基因有三方面的抑制作用:抑制皮肤中的色素生成,导致白色毛发;抑制眼睛中的色素生成,导致蓝眼;抑制内耳中某些细胞的生长,导致听力受损。闻名世界的生物学家查尔斯·达尔文早在 1868 年(对后世影响深远的巨著《物种起源》出版后九年)就在《动物和植物在家养下的变异》一书中阐述了上述事实,他说:"白猫如果双眼是蓝色的,就几乎一定是聋的。"他接着引用这封信作为证据,信是他的二代表亲威廉·达尔文·福克斯牧师写给他的。

—— **信件正文**

我亲爱的达尔文：

针对你提的问题，我相信我可以充分依据事实做出回答。我观察过的白猫不是十几只，而是几十只。我观察到的第一只白猫是赖德的一只波斯猫，她父母中有一方是纯种猫。我养了一只她生的小猫，然后这只小猫长大后又生了许多后代，每年至少生六只。在所有这些猫中，凡是白毛蓝眼的都是全聋的。为了向别人展示这一点，我曾在他们附近制造各种很大的声响，但是他们丝毫没有察觉。

我还在其他许多地方观察过这种猫。我在奇切斯特的大旅馆里见过一只（我想那是只公猫）。我还见过两只挪威森林猫，当时我说："真遗憾这么好的猫听不见声音。"这话令猫的主人大为吃惊。（这种事我干过好几次了）那两只挪威森林猫都是母猫。

当然，我们繁殖、饲养的猫大部分是母猫，但是我也养公猫，因为多年来我一直想让我养的猫保持纯正的血统。我非常确定母猫是聋的，我毫不怀疑公猫应该也是聋的，因为要是公猫不聋的话，我肯定能注意到。

我忘了我在哪几封信里提过这种蓝眼猫的事情，那是二三十年前的事了——但是那些信里叙述的情况和我现在说的完全一样。

我还养过若干一只眼睛是蓝色、另一只眼睛是其他颜色的猫。我们相当确信，这种猫只有蓝眼那一侧的耳朵是聋的。我家年纪较大的孩子都记得我们养的第一只猫——莉莉，她眼睛纯蓝，耳朵全聋。多年间她绝对生了好多窝小猫。

所以她的性别不容怀疑，虽说我也曾养过一只公玳瑁猫（至少当时大家以为"他"是公猫），[1] 结果"他"竟生了一窝小猫，我的孩子们为此高兴极了。

永远属于你的，

W.D. 福克斯

写完上面的内容后，我询问了我太太和孩子们，问他们记不记得那些白猫。"莉莉"是太早之前的事情了，但他们对"猫头鹰"记得很清楚，因为她有一

---

1. 玳瑁猫大部分为母猫，公玳瑁猫很少见。——编者注

双蔚蓝色的眼睛,而且生过数不清的小猫。

刚从大雅茅斯的布拉德韦尔回来的范妮补充说:"那里有一只猫毛色纯白,但眼睛是常见的绿色,那只猫也是聋的——和蓝眼的白猫一样。"她特别提出的这个情况和蓝眼理论相矛盾。

但在附近的凯斯特教区,斯图尔特先生有一只非常漂亮的蓝眼猫,那只猫也是全聋的。

我应该不久就会亲眼见到这两只猫,而且很可能会看到一群他们的后代。

凯斯特的那只猫——据说非常漂亮——大概是只公猫。

周五你的儿子威廉很好心地来拜访了我们,给我们所有人留下了非常好的印象。

—— 信件 20

这封信真的是我写的吗?
雷蒙德·钱德勒致查尔斯·莫顿

1945 年 3 月 19 日

　　作家雷蒙德·钱德勒 1888 年出生于芝加哥。因为创造了硬汉侦探菲利普·马洛这个角色,钱德勒至今仍是最杰出的犯罪小说家之一。马洛在钱德勒的许多作品中出场,包括:《长眠不醒》(1939 年)、《再见,吾爱》(1940 年)、《高窗》(1942 年)、《湖底女人》(1943 年)、《小妹妹》(1949 年)、《漫长的告别》(1953 年)及《重播》(1958 年)。在钱德勒写作这些作品的过程中,不管你何时走近他的书桌,几乎都会发现他的波斯猫塔基正在陪伴他写作。1945 年 3 月,钱德勒致信《大西洋月刊》的副主编查尔斯·莫顿,把塔基介绍给他。

—— 信件正文

> 加州，好莱坞38
> 马拉松街5451号
> 派拉蒙影业公司
> 1945年3月19日

亲爱的查尔斯：

一段时间之前，有个叫英克斯泰德的人给我拍了一些照片，登在《时尚芭莎》上。（我始终没弄明白为什么要这么做）其中有一张照片拍得确实非常好，照片里我正把我的秘书抱在腿上。那张照片我洗了一打，等我收到就寄一张给你。也许我应该补充说明一下，我的秘书是一只14岁的黑色波斯猫。我称她为我的"秘书"，是因为自打我开始写作起，她就一直在我身边。她通常坐在我想用的纸上或者我想改的稿子上，有时她靠在打字机上，有时她趴在桌子一角望着窗外，似乎在说："伙计，你做这些事是在浪费我的时间。"她的名字叫塔基（最初叫塔楷[1]，但是我们

---

1. 塔楷：原文作Take，在日语中读作"塔楷"（两个音节），在英文中读作['teɪk]（一个音节）。

老得对人解释这是个日本名字,意思是竹子,应该读两个音节,最后我们终于厌倦了)。她的记性特别好,大象再怎么努力也无法达到她的水平。[1] 她通常对人礼貌而疏远,但偶尔也会像中了争吵魔咒似的,一次能回嘴十分钟之久。我真希望我知道她在对我说什么,但我怀疑其实她的所有话都是一个意思,就是以非常讽刺的语气告诉我:"你太差了,你就不能做得更好吗?"我一生都很爱猫(我并不讨厌狗,只是狗太需要人一直陪着玩了),但我始终无法理解猫。塔基是非常从容大方的动物,她总是知道谁喜欢猫,且绝不会靠近不喜欢猫的人。她总能径直走向真正喜欢猫的人,不管那人来得多晚,哪怕她完全不认识那人。不过她并不会跟他们待在一起太久,只让他们适当抚摩一会儿,就会走开。她还有个奇怪的特点,就是从来不杀死任何东西(我不知道这对猫来说算不算罕见的特点)。她会把猎物活着带回来,然后让你把猎物从她那儿拿走。有好多次,她把鸽子、蓝鹦鹉、大蝴蝶之类的猎物带进屋子里来。她完全没有伤害鹦鹉和蝴蝶,只是叼着它们走,好像什么也没发生过似的。

---

[1]. 英文中有"大象永远不会忘记"的俗语,英美人认为大象的记性很好。

鸽子似乎不愿意被她叼着走来走去，给她制造了一点麻烦，所以鸽子胸口上有一小块血迹。但我们把鸽子送到一个给鸟治病的兽医那里，它很快就没事了，只是受了点羞辱。塔基对老鼠不感兴趣，但是如果老鼠坚持要惹她，她也会捉住它们，然后只好由我来把老鼠杀死。对囊地鼠，她有点兴趣，却又懒洋洋的，好似很厌烦。她会比较认真地观察囊地鼠挖的洞，但是囊地鼠是会咬她的，而且，说真的，谁会想抓一只囊地鼠呢？所以她只是假装她可能会抓一只囊地鼠，如果她想抓的话。

　　不管去哪儿旅行，我们总是带着她。她记得她去过的所有地方，通常她在哪儿都跟在家里一样自在。只有一两个地方让她很不适应——我也不知道为什么。她就是不愿意在那几个地方安顿下来。过了一段时间以后，我们学会了接受她的暗示。可能那个地方曾经发生过斧头砍杀案，我们改去别处会好得多。杀人犯说不定还会回来呢。有时她会以一种相当奇怪的神色望着我（在我认识的所有猫中，只有她会直视人的眼睛），我怀疑她是不是在偷偷写日记，因为她那个表情仿佛在说："兄弟，你大部分时间都觉得自己挺不赖的，是不是？其实我也趁有空的时候写了一些东西，要是我决定出版其中一部分，不知道你看了会作何感想？"有时她会搞这么一种把戏：怡然自得地举起一只爪子，好奇地望着那爪子。我太太认为，她是在暗示我们给她买一块腕表。腕表对她没什么实际作用——现在几点她比我还清楚——但是你毕竟得有几件珠宝饰品戴戴嘛。

我不知道我为什么要给你写这些。一定是我想不出其他可写的东西了，或者——这就有点吓人了——这封信真的是我写的吗？会不会是——不，肯定是我写的。就当是我写的吧。我好害怕。

雷

—— 信件 21

猫儿们，猫儿们，我的猫儿们
埃斯特尔·克伦巴赫乔娃致她的猫儿们

1985 年 7 月 5 日

阿兰、巴亚亚、宾尼、蜡笔、约哈尼克、毛格力、米沙、派丁卡、小猪、蜗牛、小星星、乌基……埃斯特尔·克伦巴赫乔娃从来离不开猫，她相信世上没有任何一种联系比她和她的猫伙伴之间的联系更深刻。克伦巴赫乔娃生于 1923 年，是捷克斯洛伐克电影新浪潮运动中的重要人物。她是个理想主义者，在幕后默默地做出了许多成绩，以服装设计师和编剧的身份参与过那个时代的许多著名电影的制作。她于 1996 年去世，享年 72 岁，生前并未受到应得的认可。她的档案里有这样一封信，写于 1985 年。当时，61 岁的她认为自己的人生已经走到了最后一程。这封信写给曾在她的生命中陪伴过她的猫儿们。

—— **信件正文**

布拉格

1985 年 7 月 5 日

猫儿们，猫儿们，我的猫儿们：

我看着你们出生，我看着你们死亡。我见证你们的整个生命历程，你们是我生命里的同伴。你们那小小的爪子，我看着你们用它们学着走路，我看着你们死去时它们渐渐僵硬不动。你们那美丽的、狂野的眼睛，我看着它们第一次睁开时闪烁的光芒，我看着它们渐渐暗淡，永远地闭上。我看着健康、快乐、年轻的你们，我看着你们慢慢老了、患病，衰弱而可怜。直到最后一刻，你们的眼睛仍发着光，视线定格在你我共同度过的生命以外的某处。我轻抚你们的皮毛，当你们还是小奶猫时；我轻抚你们的皮毛，在我尽我的责任将你们埋葬之前。

我看见你们温和的幽默感和热爱玩乐的心性，还有你们寄予我的那许许多多含蓄的希望。有时你们渴望被我的手轻轻碰触，我的手总是与你们一样温柔，但我却因忙碌而赶你们走开。你们，我的猫儿们，教会我许多、许多无法用语言表达的东西。我能看出你们多渴望去野外捕猎、多渴望扑向猎物、多渴望杀戮，那是自然赋予你们的天性。可与我同住的时候，你们没有这种机会，你们无法过一种你们为之而生的生活，一种真正有意义的生活。你们被剥夺了动物的美，被剥夺了残忍的野性，那成了纸上的一个空洞的词汇，因为你们生来就是准备去捕猎的野兽，是我把这权利从你们身上剥夺。我多么希望我能给你们出去捕猎的机会！但我没有能力做到这一点。

当我离开你们时，你们很痛苦，因为你们忠诚而诚实，就像所有动物一样，就像丛林中所有美丽的生灵一样。在可怕的不眠之夜，你们给我希望。你们体内有神奇的雷达，一探测到我心情极端不好，你们便抬起丝绸般的爪子走向我，问我何时能好起来。我睡着的时候，你们把头放在我的手掌上，我能感觉到你们的温柔，也能感觉到你们的孤独。你们会爬到我身上，发出微弱的声音把我唤醒，仿佛在叫我"起床走走吧！"。你们为我担心，你们是我亲爱的朋友，是我的甜心。你们推着我，要我更有责任心，要我更关心自己的生活。

而这是我们一起做到的，是我们共同的成果。我亲爱的猫儿们！你们陪伴我度过了我的整个生命。你们的眼睛那样闪闪发亮，带着疑问，充满温柔。有时我状态太差，无法与你们共处，无法以你们望向我的方式回应你们，你们便把那样的眼睛转开不看我——你们总是理解我、包容我，你们这些属于我的猫儿。我用我的整颗心和整个灵魂爱你们。我对你们的爱超过我对任何人的爱。我一直忠于你们，因为我从未，也永远不可能背叛你们。我把你们囚禁在我的公寓里——那是爱的牢笼。我希望你们永远不要知道那是牢笼。当你们行将死去，直到最后一刻你们都知道你们被爱着，或者，也许你们知道，在猫的终身监狱里，我是那个最好的狱卒，你们知道的，对不对？

这个问题的答案有一天我会知道的。我希望我死的时候能有人爱抚我的身体，就像我爱抚你们的身体一样。但最好还是不要了。我不希望被人爱抚，我不需要那个。我亲爱的宠猫们，尽管如此我仍然相信，我已经为我们的爱做了我能做的一切，我已经做了我的心让我去做的一切。我的心让我那样做，是因为它始终渴望着，今后也将永远渴望一种如此巨大的奉献，就像你们与我之间的那种奉献。猫儿们！猫儿们！你们最忠诚、最害羞、最腼腆、最矜持、最深情、最爱生气、最叛逆、最有趣、最悲伤、最健康、最衰老、最厌倦生命和疾病——你们每一只都自有一个世界,你们每一只都是了不起的生灵,你们每一只都用自己独特的方式走向我、靠近我、玩耍、取乐、为我燃起和你们一起活下去的希望。

在我无比沮丧的日子里,你们用身体那么使劲地挤压我,把我从筋疲力尽的睡眠中唤醒。可我知道,你们其实比我更痛苦,因为你们就要死去,你们来找我,只是为了再次体验那种充满信任、希望和爱的瞬间。我亲爱的亡友们,谁会去数你们的数目呢?你们并没有死去,在你们离开的时候,是我与你们一起去了。小蜗牛,我在梦里见过你,你向我跑来,却又那么害羞、那么胆怯地转过身去,仿佛不确定自己是否想要被我爱抚。从那个梦中醒来时我哭了,我请你代我向宾尼问好,你死后她伤心而死,因为失去你后她没法再活下去,那天早晨她摊开身体死在她最喜欢的地方。我知道你一定会把我的口信带给她的。等到我也不得不去那里的那天,请一定在那儿等我。

我亲爱的猫儿们!你们会在那里等我的,对不对?我们会一起在那里玩耍。小蜗牛会坐在天堂树巨大的枝丫上,以他总爱用的那种方式轻柔地晃来晃去，假装没有看到我。他那张天真烂漫的脸上既满带内心的奇怪忧郁，又挂着一个羞涩的浅笑。宾尼会玩自己的尾巴，为参加派对做好准备。派丁卡会用那双和初秋带霜的葡萄一个颜色的眼睛望着我，他会把身体的重心从一条腿上移到另一条腿上，同时用他满是柔情、闪闪发亮的眼睛欢迎我。约哈尼克会盯着我瞧。小星星会像一只迷了路的小奶猫一样看着我。她死于兽医的一次残忍的干预，那时她很痛、很需要咬住什么东西，可即使如此她也没有咬我的手。她知道她痛得受不了的时候我把她抱在腿上，知道我整夜醒着，一直陪着她，直到她第二天早上死去。乌基会大笑着跑来跑去，他的尾巴会卷成一个有趣的问号形状。他会很害羞，因为他是小蜗牛的亲生儿子呀。他会假装想逃走，但最后他会让我抚摸他的肚子，他以前在门厅的一个角落里也会这样让我摸肚子，我把那里叫作"爱抚角"，就像人们把演讲的地方叫作"演说角"一样。毛格力会趾高气扬地走来走去，对其他所有猫大喊大叫，说她才是老大，她一辈子都是这样。可怜的米沙会害羞又胆怯。我失去他是因为他被人杀了。一定是有人为了捍卫世界的道德而拿枪射杀动物，尤其针对猫。因为猫会捕猎，所以世界容不下他们。可是开枪打动物的人自己却吃烤鹅、烤鸭、烤鸡，说不定他开枪的时候还在朝嘴里塞小牛肉，而小牛一样也是出生在这个世界上的生灵。但之后我还会养许多其他猫，他们是我的朋友，我给他们一点希望，或者为他们找到新家。我的猫儿们，猫儿们，猫儿们！我生命的向导！因为你们，我从来不敢离开家太长时间，因为那样也许对你们不公平——尽管如此，我有时还是不得不离家，因为我缺钱。我回家的时候你们欢迎我，你们担忧而紧张，尽管我不在时有个女孩住在我家里照顾你们。你们担心回来的是否真的是我。其实，在诸多陌生人打来的电话中，有一些是我从新西兰打来的。我在新西兰每天担心你们，所以想打电话问问你们是否还活着，是否一切安好，但是你们，我亲爱的猫儿们，不可能知道这一切。但你们非常清楚我什么时候回来，他们说，从我回家前三天起，你们就开始坐在门口耐心地等着。我在飞机上祈祷，许下一个大大的愿望：我的猫儿们，我会在三天后见到你们。你们会等我的，对不对？青草会长满四处，我们会一起开心地玩耍。

你觉得呢，约哈尼克？你是我在街上捡到的。你们觉得呢，小星星、乌基、米沙和我亲爱的派丁卡？

派丁卡呀,我曾经叫你凡·高,因为你很特别、很独特,橘白相间,我甚至写了一本关于你的书呢,希望有一天有人能把它出版。你呢,毛格力?你会趾高气扬地走着,像只小狗狗一样摇着你的断尾,那时候你的眼睛又会像连着大海的咸水湖一样闪闪发光了,对不对?死亡不过是一层薄薄的面纱而已。我也会到你们这里来的,我会看起漂漂亮亮的,我会快乐地奔向你们,我的猫儿们。我们会一起度过最好的时光。让我来拉绳子,或者拉那个坏掉的玩具,他有个橡胶圈儿,所以总会温柔地弹一下你们的鼻子或耳朵。啊,我忘了提小猪,很久以前我离开家的时候他不见了。可等我回家短住的时候,他又出来欢迎我,还躺在他的篮子里,在我床边用一种痛苦、责备又充满疑问的神情望着我。我再次离家以后,他永远地离开了。小猪,你也会在那里的,对不对?你是个勇敢的小伙子,从二楼直接跳到街上,去玩清洁工的扫把。小猪最会恶作剧、最会开玩笑了。你是只脏兮兮的可怜的流浪猫,但你总是表现得如同贵族。我亲手把你身上的跳蚤一只一只地捉掉,但是,然后我就不得不离家把你丢下,我可怜的小男孩。那样对你,我至今都良心不安。小猪啊,可是我得出去挣钱啊,那时候我还是个学生。

你们知道的,我的猫儿们,我的灵感来源、我的挚爱、我的缪斯,我有时不得不离开你们和你们的视线。我们会在某处重聚,在那里很容易把一切解释清楚,到时候你们会原谅我的,对不对?派丁卡,你还记得吗,当你想让我抱抱你的时候,我常说:"派丁卡,你的朋友埃斯提[1]现在得工作,因为我得给我们挣饭吃啊。"我说的主要是给你挣饭吃,派丁卡。你是一只橘白相间、骨瘦如柴的小奶猫,孩子们把半死不活的你扔在我家院子旁边的煤堆上,那时你只剩一口气了,我得喂你吃好多东西。你坐在冰箱旁边的椅子上,就在我身边,抬起你小小的前爪,用你灰绿色的眼睛充满疑问地望着我。那一刻我无法抗拒你的美丽,我立刻下了决心,永远不再让你受惊、受苦。然后,你一辈子待在我的房子里,从来不想出门,从来不想回外面的世界里去,我说得对不对?我和你紧靠在一起,挨着电暖器躺着,我如此渴望再次成为一个孩子,我给你讲童话故事,逗得你哈哈大笑,直到你康复,尽管兽医曾经说你好起来的希望不大。我是那

---

1. 埃斯提:埃斯特尔的昵称。

么爱你，你又瘦又瘸，我把你放在一张小扶手椅上，给你盖上一床毛毯，这样你就能像在床上一样舒服，然后我把蛋黄和酒糖抹在手指尖上喂你吃。后来你长成了一只强壮的大公猫。每次我工作的时候，你总是等不及，催我赶快做完，那样我们就又可以在一起了。我们一起躺在床上，认真热切地看着彼此。一开始我叫你派翠什卡，后来改叫派提。等我来加入你们的时候，请一定要在那里等我啊。还有，不要嫉妒小蜗牛啊，你知道的，他是从森林里来的小伙子，是半野猫的儿子。你以前喜欢欺负他，而小蜗牛是个那么害羞的男孩子。毛格力很爱你，你走以后，她整夜睡在你曾经躺过的地方。她对你的哀悼让我心碎。虽然她和小蜗牛生了孩子，但她非常非常想念你。你以前常在厨房里坐在毛格力身边，请你还像那样坐在她身边等我吧，好不好？

毛格力死后留下了两个孩子，就是蜡笔和巴亚亚兄弟俩。他们彼此相爱，就像你的孩子宾尼爱小蜗牛你一样。除此之外还有阿兰，一只聪明漂亮的三花猫，他是我在附近的墓地上捡到的，当时他个子很小，就快冻死了。他们都会在我死前离开，至少我希望如此。我能承受他们死亡的悲痛。他们很老了，我也很老了。

我的猫儿们,我离世的时候,请做我的仪仗队吧。我请求你们。我没有更好的同伴了,除了你们,我不会给任何人写这样一封信。这封信写给你们,我的宠物,我的朋友,在最困难的时候把我从绝望中救出来的你们。来见我吧!

向你们中的每一只致以最美好的问候。我们都在自己体内发现了无法用语言表达的东西,我们找到了彼此,我们深爱彼此。

属于你们的,

埃斯特尔

—— 信件 22

永远不变的家
凯瑟琳·曼斯菲尔德致艾达·贝克

1921 年 3 月 20 日

  1917 年末，新西兰作家凯瑟琳·曼斯菲尔德发现自己得了肺结核。她最终于六年后死于此病，享年 34 岁。确诊后，曼斯菲尔德离开了她在英国的家和家里的两只猫——阿西和温利，在法国和瑞士两国休养、写作及求医。1921 年 3 月，她收到艾达·贝克（贝克是曼斯菲尔德的挚友、管家，也是后来在她临终时照顾她的人）发来的电报，说此前走失的温利现在找到了。这封信是她写给贝克的回信。几天后，曼斯菲尔德又写信给一位与她丈夫有染的女士——伊丽莎白·比贝斯科，警告她收敛。很快，贝克带着温利赶到了法国。曼斯菲尔德的另一只猫阿西则留在英格兰，住进了一位年迈邻居的家里，因为它充分发挥了猫的作风，坚决不肯离开。

—— **信件正文**

法国
芒通
伊索拉-贝拉别墅
周日

亲爱的艾：

昨天深夜收到了你发来的关于温利的电报。真是太令人激动了。我很想知道温利是怎么被找到的，还有，如果可能的话，我想知道他和阿西见面时的情景是怎样的。我真羡慕你能看到那一幕。希望你真的亲眼看见了，可以告诉我事情的经过。能找到温利真是一个巨大的胜利。但现在的问题是，怎么处理他们呢？要不是我们马上要动身去瑞士，我是不会犹豫的。但是那么多趟火车，还要搬进不同的酒店等等，对猫来说会不会是种折磨？我觉得猫最需要的东西是一个安定的家，一个永远不变的家。而我知道，那正是我自己无法拥有的东西。与此同时，把这两只猫杀掉的话，对我来说太可怕了！你瞧，假如你我到瑞士以后又听说有别的地方，并且决定去新地方试一试，或者要是你我决定乘船过海，或者……可能性太多了。我们不可能把猫丢给杰克，把猫送给不想要他们的人也很残忍。我承认，我不知道怎么解决猫的问题。要是理查德年纪再大一点的话，我会建议请他照顾他们。我最好就说到这里吧。等你想清楚以后，如果你觉得他们没法过上快乐的生活，或者你没办法处理他们的话——就杀死他们吧。

伊丽莎白·比贝斯科又有动作了。昨天她给他写了一封信，央求他抵御凯瑟琳的进攻。"到目前为止，你一直那么英勇地抵抗了她，现在你怎么能让步呢？"还有"你发过誓，说绝不让这世界上的任何东西挡在你我之间"。看了这封信，我觉得他们俩真的非常合适，我希望他继续这段感情——他自己也想这么做。"要是没有你给我提文学上的建议，我要怎么活下去呢？"她这么问他。真是个迷人的问题。我会写信给那个愚蠢的小东西，告诉她我无意介入他们两人之间，但有一个条件：他和我同住的时候她不能与他做爱，因为那样很不体面。不过，他是永远不会停止搞这些婚外情的，我也看不出他为什么要停手。我希望他能真正认真地对待这段感情——并且离开我。每一天，我都比前一天更渴望独处。

* * *

放松心情,好好照顾自己。我希望小男孩现在好些了。

属于你的,

凯瑟琳

—— 信件 23

他习惯像绅士一样用餐

弗洛伦斯·南丁格尔致弗罗斯特夫人

1875 年 12 月 13 日

　　弗洛伦斯·南丁格尔是现代护理学的奠基人,她把一生都奉献给了照顾他人的事业。1854 年,南丁格尔带着三十八名英国护士前往土耳其,训练她们照顾无数在克里米亚战争中受伤的人。六年之后,她在伦敦的圣托马斯医院成立了全世界第一所护理学校。此外她还写了《护理札记》,一本影响深远,至今仍在不断再版的护理学教科书。尽管南丁格尔过着如此充实的生活,多年来她仍挤出时间和精力照顾了超过六十只猫。1875 年 12 月,她给一位名叫弗罗斯特夫人的女士写了这封迷人的信,信中谈到她最近送养的一只举止很有教养的猫——怀特先生。

―― 信件正文

南街 35 号

1875 年 12 月 13 日

亲爱的弗罗斯特夫人：

威尔逊夫人很好心地邀请我写信给你，对你谈谈我的安哥拉公猫（叫他"怀特先生"他就会答应）——现在他不是我的，而是她的猫了。

1. 怀特先生这辈子从来没有把家里弄脏过，但是他从小一直用装着沙子的盆如厕。所以你得对他有点耐心，直到他学会去室外方便。

2. 为了不让他走失，他夜里一直是被关在家里的（关在一个大餐具室里）。我认为夜里应该继续把他关在家里。理由同上。（我想你应该先把他在屋子里关上两三天，直到他熟悉新地方和他好心的新主人，不然我怕他会逃走，试图跑回我这里来。）

还有，也许一开始的一两夜你可以给他准备一个装着沙子的盆，那样会比较好。

3. 他一直习惯像绅士一样独自用餐：食物盛在盘子里，放在铺在地上的"桌布"（旧报纸）上。

他不贪婪。他从来没偷过任何东西,从来不会把他吃的骨头从报纸上拖到地上。但是我得说他一直吃得很好:早上吃骨头和牛奶,我们 7 点钟吃完晚饭以后,剩下的鱼(不是鱼骨头)或鸡都给他吃——或者给他吃野味的骨头。我们把食物放在盘子里,让他像绅士一样在我房间里吃,就像我之前描述的那样。他吃完从来不会再要。等到晚上把他关进餐具室的时候,我们还给他一点碎肉和牛奶。还有,地上总是给他放好一大罐清水(装在一个他推不倒的罐子里)。

4. 他是我养过的最有感情、最聪明的猫。他喜欢基督徒的圈子远超过猫的圈子,最爱和我共处一室(但是也和我们的一个小伙伴的小狗交上了朋友)。有一只小猫是他的姐妹,那只猫死的时候,他绝食而且几乎心碎。我们这里有两只小奶猫(是他的孩子),他亲自给他们做清洁、梳理毛发。我从来没见过公猫这样做。

5. 你会看到怀特先生的毛色现在很黑了。但他在乡下的时候,毛色就像雪一样纯白无瑕。

他现在 10 个月大。

这封关于他的信我已经写得挺长的了,其实简而言之,我就是想请求你好心地照顾他,我是……

你忠诚的朋友,
弗洛伦斯·南丁格尔

他是我养过的最有感情、最聪明的猫。

——弗洛伦斯·南丁格尔

—— 信件 24

恐怖故事一则

简·威尔士·卡莱尔致凯特·斯坦利

1860 年 12 月 28 日

　　简·威尔士·卡莱尔 1801 年出生于苏格兰的哈丁顿，1826 年嫁给苏格兰著名哲学家托马斯·卡莱尔。他们的婚姻总体而言并不幸福，这从两人的通信中可以看出——到 1866 年简去世，这段婚姻一共存续了四十年，其间两人互通了数千封信。很明显，简经常感到异常孤独，也许正因如此，她养了许多宠物，让它们围绕自己，包括猫、狗和金丝雀——把这些动物混在一起注定要导致麻烦。1860 年圣诞节后不久，简·卡莱尔给朋友凯特·斯坦利写了一封信，描述了一则恐怖故事。

—— 信件正文

> 切尔西
> 切恩街 5 号
> 周五

亲爱的!

你给我写了一封圣诞贺信,多么聪明、多么美好的想法!上帝保佑你小小的心和那颗心在乎的所有东西!

我觉得你我之间一定多少有些心灵感应,因为我早就想写信给你,告诉你一则关于金丝雀的"恐怖故事"!我本该料到你会来信的,但是一到年末我总是一如既往地有一大堆信要写,还要给北方的老朋友们准备小包裹。久而久之,习惯使然,这些(我是指包裹,不是指朋友)已经成了一种道德上的义务。然后,今年我不得不"在困难中完成"这些(微不足道的)义务:我得了一场重感冒,一直出不了门。因为和往年一样,第一场霜冻就把我击倒了——就跟打九柱球似的!

*　*　*

但你一定一直在想:"金丝雀到底怎么了?猫是不是把它吃了?"你会这么问吧?这个问题绝对没问错!不,我亲爱的!我的金丝雀没有被吃掉,但是我得说,过去、现在、将来,从来没有任何一只金丝雀能在与猫这样遭遇后竟没被吃掉。要不是你的、或我的、或那只金丝雀自己的守护天使为它创造了奇迹,那么它肯定已经被吃掉了。

打从这鸟儿第一次起飞的时候,那猫儿就开始研究它,其兴趣之高昂,令人不寒而栗!所以我只好请来木匠,让他用滑轮和铜链把鸟笼吊在客厅的天花板上。之后我就很放心地让猫和鸟单独待在一起,因为我根本不知道在强烈欲望的驱动下猫儿能有多大的本事!有一天上午,我散步回来,夏洛特无比激动地在门口迎我。"噢!"她说,"你知道猫干了什么吗?""吃了我的金丝雀?"我冷静而绝望地答道。"不是!比那糟糕多了!""她一定是从小桌子上起跳,跳到鸟笼上,把它拽了下来,因为那条链子掉在地上碎成一百节了!桌子也倒了,裂成了两半!还有啊!埃尔利夫人的篮子摔得稀烂,蕨类撒得到处都是!玻璃罩子跌得粉碎！地毯上满是东西！""那鸟儿没事吗？""呃，是的，虽然鸟笼的门大开着，她倒没有把鸟吃掉！链子和各种东西掉下来的声音应该把她吓坏了，因为我听到巨响奔上楼去时，正碰到她从楼梯上飞跑下来！"

我走进客厅的时候，场面真是一团糟！因为"巨响"才刚刚结束，东西还一样都没收拾：鸟笼仍然横躺在地板上；桌子还是裂成两半；地毯上满是泥土、蕨类、喂鸟的种子、水，还有陶器碎片、玻璃、铜链，等等！在这些东西之间，那鸟儿正在跳来跳去，它看起来心情相当沉重，但除此之外"可以说是好得很"。我为我的蕨类植物感到抱歉，因为它们也是一种有生命的宠物，而且那是一年前我被关在家里出不了门的时候埃尔利夫人送给我的。

猫也没预料到自己会闯出这么大的祸来，那一大堆东西掉下来的时候，她大概不仅吓到了自己，还把自己弄伤了。因为她立刻冲出后门，然后24小时没再露面，尽管平时她是只最爱待在家里的猫。

鉴于傻猫和蠢人的相似性（啊，可能我太高估这种相似性了），我希望经验能让这只傻猫长点智慧！因此我没有立刻把金丝雀从家里送走，同时我也知道不能把这只猫送走——这既有实际的原因,也有感情上的原因。实际的原因是,只要家里没猫一星期,一只老鼠小军团就会从排水沟入侵。这只猫不仅让家里没有老鼠,而且她是只干净、道德、诚实的猫——受活鸟诱惑的时候除外。而在感情方面,我的小狗多爱她啊,把她当作姐妹或者妻子一样!猫儿会把年迈的狗狗闹起来玩耍,她是狗狗老年生活中的主要乐趣!为了亲爱的小狗,我没法把她送走!

于是我又一次请来木匠,让他把鸟笼钉在百叶窗对面最高的地方。因为如今的铜链似乎根本靠不住,(如 C 先生所说)"跟所有其他东西一样,造这种东西的人该被拉出去吊死"!

猫假装不再注意那只鸟,我想她已经打定了主意,认为试图捕捉那只动物不仅危险而且无望。但是,有一天晚上,我正在跟夏洛特说话,猫突然竖直地一跃而起,扑向鸟笼,用爪子抓住鸟笼不放!!要不是亲眼所见,我根本不相信猫可以这样跳!我把沙发垫子扔向她,还对她尖叫,才吓得她从鸟笼上下来。但我从此就一直把那只可怜的鸟的笼子锁起来,直到我给它找到一个更安全的家。

法勒斯小姐的鸟有一天从窗户逃走了,然后它那漂亮的笼子就空荡荡地挂在那里。于是我把那个可怜的小东西送到法勒斯小姐那里去了。现在它在那里过上了不用担惊受怕的幸福生活！和这只鸟分别我很难过，但是万一它被吃掉了，我肯定会远比现在难过。

* * *

向斯坦利夫人、你的姐妹们以及你致以我最亲切的问候和最美好的祝愿。

爱你的，
简·卡莱尔

请代我向白狗们问好！

—— 信件 25
他不是一只轻易原谅别人的猫
约翰·奇弗致约瑟芬·赫布斯特

1963 年 12 月 6 日

  1960 年的一个下午，小说家约翰·奇弗的老朋友约瑟芬·赫布斯特（乔西）来他家吃午餐时，突然把一只名叫"小黑"的半秃的猫强行推给了他。她解释说，自己没办法继续养他了。奇弗不情愿地收养了这只猫，并以诗人戴尔莫·施瓦茨的名字给他重新起名"戴尔莫"——戴尔莫·施瓦茨的前妻也曾是这只猫的主人。啊呀，结果奇弗和戴尔莫完全合不来。奇弗和赫布斯特的友谊很快因此大受损害，这对老友后来就断了联系。1963 年，奇弗终于给赫布斯特写了一封信，汇报猫的近况，也修复了两人之间的裂痕。

—— **信件正文**

> 奥西宁
>
> 雪松巷
>
> 某个周五

亲爱的乔西:

除了最简略的只言片语,我们已经好多年没通过信了。关于你的猫的情况,我早就欠你一个交代。那我们这就开始吧。

你离开他后,这只猫似乎不确定他是什么身份、处于什么地位。我把他改名为戴尔莫,这似乎让他立刻活泼起来了。他变得活泼的第一个迹象是:在我某次感冒的时候,他在面纸盒里拉了一泡屎。我猛打一通喷嚏时伸手抽了些面纸。我不会忽视这个故事中我自己的过失,但是在我把猫屎从我脸上和天花板上弄掉以后,我就把戴尔莫拎到厨房门口,松手让他落地,然后一脚把他踢到了院子里晒衣服的空地上。这是一桩难被容忍的残酷行径,时至今日我也没有得到原谅。他不是一只轻易原谅别人的猫。事实上他是非常骄傲的。下一个重要事件发生在感恩节。全家人聚在一起吃晚饭,我正准备切火鸡,浴室里突然传来有什么动物要被勒死似的惨叫声。我跑到那里一看,戴尔莫坐在马桶里,冷水淹到了脖子,正在大发脾气。我把他救出来,用毛巾擦干他的身体,但是他并没有因此原谅我。圣诞节后不久,一位好莱坞编剧和他太太来我家吃午饭。通常我"招呼"戴尔莫的用语是"滚你的"。那位太太听见我这么说就很鄙视我,还把戴尔莫搂到她的胸口。说时迟,那时快,戴尔莫立刻开始试图把她的右眼球卸下来。在拼命甩开戴尔莫的过程中,那位太太身上穿的意大利产连衣裙被扯掉了一大块。玛丽说那条裙子值 250 美元。我们并没有因此责怪戴尔莫。几天后,我们在家里开滑冰派对,我催促戴尔莫跟我们一起到池塘那儿去。他似乎很开心,跟在我身边欢快地朝那儿一蹦一跳地走着,俨然像一只爱家的乖猫。可是,就在那一刻,一阵微风从东北方向吹来,铁杉上落下一点雪,恰好落在戴尔莫身上。他恶狠狠地看了我一眼,转身回了屋里,然后又在面纸盒里拉了一泡屎。这次中招的是我家的清洁女工,他们之间的关系至今没有改善。

写这封信的本意并不是对戴尔莫进行满怀仇恨的控诉,我认为他还是很享受这里的生活的。人们指责我对他太残忍,一个叫露丝·赫斯伯格的女人不断地写信给伊丽莎白·波莱特,要她把戴尔莫从我这儿带走。但是戴尔莫对我和所有人的关系都做出了贡献。讨厌我的人直接站到他那边,因此他是一位和平使者。他喜欢玩厕纸。他不喜欢装有猫薄荷的老鼠玩具。他不捕杀鸣鸟。春天,兔子会在草坪上追着他跑,但生菜被吃完以后它们就会离开,然后庭院基本上就归他独有了。他现在很胖了,不管卡尔·桑德堡[1]怎么说,他的脚步声更像一个赤脚中年男人走向厕所时发出的声音,而不是冬天的雾轻轻沉淀的声音。但他在这里有他的地位,我们都尊重他的地位。这份关于猫咪戴尔莫的报告我就写到这里。

我希望你一切都好。玛丽教书,我写作,孩子们各上各的学,我们这里一切都好。

致以最好的祝愿,
约翰

---

[1] 卡尔·桑德堡(Carl Sandburg):美国诗人,他在一首题为《雾》的诗里写道:"雾来了,踮着猫的细步。他弓起腰蹲着,静静地俯视海港和城市,又再往前走。"

PERMISSION CREDITS

Every effort has been made to trace copyright holders and obtain their permission for the use of copyright material. The publisher apologises for any errors or omissions and would be grateful if notified of any corrections that should be incorporated in future reprints or editions of this book.

LETTER 2 *Always, Rachel: The Letters of Rachel Carson and Dorothy Freeman 1952—1964*. Copyright © 1995 by Roger Allen Christie. Reprinted by permission of Frances Collin, Trustee.

LETTER 4 reprinted with kind permission of The Estate of Sylvia Townsend Warner. Reply reprinted by kind permission of United Agents on behalf of the Executor of the Estate of David Garnett.

LETTER 5 reprinted by kind permission of Erik Reece.

LETTER 7 excerpt(s) from *The Diary of a Young Girl: The Definitive Edition* by Anne Frank, edited by Otto H. Frank and Mirjam Pressler, translated by Susan Massotty, translation copyright © 1995 by Penguin Random House LLC. Used by permission of Doubleday, an imprint of the Knopf Doubleday Publishing Group, a division of Penguin Random House LLC. All rights reserved / 264 words from *The Diary of a Young Girl: The Definitive Edition* by Anne Frank, edited by Otto H Frank and Mirjam Pressler, translated by Susan Massotty. English translation copyright © Doubleday a division of Bantam Doubleday Dell Publishing Group Inc, 1995 / Copyright © Anne Frank Tagebuch. Einzig autorisierte und ergänzte Fassung Otto H. Frank und Mirjam Pressler. © 1991 by ANNE FRANK-Fonds, Basel. Alle Rechte vorbehalten S. Fischer Verlag GmbH, Frankfurt am Main.

LETTER 9 From *The Letters of T.S. Eliot* by T.S. Eliot, reprinted by permission of Faber and Faber Ltd / copyright © 2011 Yale University Press all rights reserved.

From *The Letters of T.S. Eliot* by T.S. Eliot.

LETTER 10 reprinted by permission of House of Taylor.

LETTER 15 letter by Jack Kerouac's mother by Ms. Kerouac. Copyright © 1960, The Estate of Jack Kerouac, used by permission of The Wylie Agency (UK) Limited.

LETTER 18 Ayn Rand letter from Letters of Ayn Rand. Reprinted with kind permission of Ayn Rand Archives of the Ayn Rand Institute.

LETTER 20 from *Selected Letters of Raymond Chandler*. Published by Dell Publishing, 1987. Copyright © Raymond Chandler. Reproduced by permission of the author c/o Rogers, Coleridge & White Ltd., 20 Powis Mews, London W11 1JN.

LETTER 21 letter to cats of Ester Krumbachová was published in *The First Book of Ester* (Primus, Prague, 1994). From the online Ester Krumbachová Archive (esterkrumbachova.org). Translation: Marta Nedvědická, Guy Tabachnick Courtesy: Ivo Paik and Are | are-events.org

LETTER 22 copyright © The Estate of Katherine Mansfield 1996 from *The Collected Letters of Katherine Mansfield Volume IV: 1920–1921* by Katherine Mansfield. Reproduced with permission of the Oxford Publishing Limited through PLSclear.

LETTER 25 From *The Letters of John Cheever* edited by Benjamin Cheever. Copyright © 1988 by Benjamin Cheever. Reprinted with the permission of Touchstone, a division of Simon & Schuster, Inc. All rights reserved / From *The Letters of John Cheever* by John Cheever. Published by Jonathan Cape. Reprinted by permission of The Random House Group Limited. © 1989 / Copyright © Benjamin Cheever, 1988, used by permission of The Wylie Agency (UK) Limited.

企 鹅 图 书
Penguin Books

出品人 **赵轩**
策划编辑 **郭宇萌**
营销编辑 **刘芸倩 赵亦南**
设计师 **索迪**